suhrkamp taschenbuch 1069

D1240736

Peter Handke, 1942 in Griffen (Kärnten) geboren, lebt heute wieder in Österreich.

Seit Jahren war Valentin Sorger entfernt von allem, was sich unter dem Begriff ›Heimat‹ oder ›Familie‹ verstehen läßt. In seiner Daseinslust, im Bewußtsein seiner Stärke hatte er Bindungen und Beziehungen aufgegeben; Gefühle für Zurückgelassenes hatte er überlebt; er empfand keine Sehnsucht mehr; er war nicht einmal mehr imstande gewesen, den Gedanken an sein Kind zu Ende zu denken. Nun, in der Erkenntnis solchen Entferntseins, solcher Verlassenheit, bereitet sich die Heimkehr vor. Der Weg ist lang. Er führt von Alaska – Sorger arbeitet hier am Rande einer Indianersiedlung mit seinem Kollegen Lauffer als Geologe – zunächst an die Westküste, dann an die Ostküste der USA, wo er einen Freund aus seinem Herkunftsland besuchen will; und er führt schließlich in die Stadt der Städte, in der Sorger ein Gesetz für sein Handeln (und das anderer) formulieren kann, das seine Heimkehr nach Europa notwendig und möglich zugleich macht: »Das ist ein gesetzgebender Augenblick: mich lossprechend von meiner Schuld, der selbstverantworteten und auch der nachgefühlten, verpflichtet er mich, den einzelnen immer nur zufällig Teilnahmsfähigen, zu einer so stetig wie möglich geübten Einmischung. Es ist zugleich mein geschichtlicher Augenblick: ich lerne (ja, ich kann noch lernen), daß die Geschichte nicht bloß eine Aufeinanderfolge von Übeln ist, die einer wie ich nur ohnmächtig schmähen kann – sondern auch, seit jeher, eine von jedermann (auch von mir) fortsetzbare, friedensstiftende *Form.*«

»Ein Märchen? Vielleicht das Märchen der Neuzeit, erzählt am Ende ihrer philosophischen Entwicklung. Und, natürlich, ein intrikates Stück Prosa, voll von Anspielungen, Wortklaubereien, stilistischen Raubzügen. ›Aushalten‹, ›sich einlassen‹, ›sich entziehen‹, ›Werkstatthaftigkeit‹, ›Bewohntheit‹, ›das Abwesende‹ – wie Heidegger gesagt hätte… Aber mit ästhetischen Kategorien ist dem Text nicht beizukommen. Er ist, bei aller sprachlichen Meisterschaft, zuerst und wieder zuletzt der Text einer Erlösungs-Geschichte. (…)«
Neue Zürcher Zeitung

Peter Handke
Langsame Heimkehr

Erzählung

Suhrkamp

suhrkamp taschenbuch 1069
Erste Auflage 1984
© Suhrkamp Verlag Frankfurt am Main 1979
Suhrkamp Taschenbuch Verlag
Alle Rechte vorbehalten, insbesondere das des
öffentlichen Vortrags, der Übertragung durch
Rundfunk und Fernsehen und der Übersetzung,
auch einzelner Teile
Satz: IBV Lichtsatz KG, Berlin
Druck: Ebner Ulm · Printed in Germany
Umschlag nach Entwürfen
von Willy Fleckhaus und Rolf Staudt

1 2 3 4 5 6 – 89 88 87 86 85 84

»Dann, als ich kopfüber den Pfad hinunter-
stolperte, war da plötzlich eine Form…«

1. Die Vorzeitformen

Sorger hatte schon einige ihm nah gekommene Menschen überlebt und empfand keine Sehnsucht mehr, doch oft eine selbstlose Daseinslust und zuzeiten ein animalisch gewordenes, auf die Augenlider drückendes Bedürfnis nach Heil. Einerseits zu einer stillen Harmonie fähig, welche als eine heitere Macht sich auch auf andere übertrug, dann wieder zu leicht kränkbar von den übermächtigen Tatsachen, kannte er die Verlorenheit, wollte die Verantwortung und war durchdrungen von der Suche nach Formen, ihrer Unterscheidung und Beschreibung, über die Landschaft hinaus, wo (»im Feld«, »im Gelände«) diese oft quälende, dann auch wieder belustigende, im Glücksfall triumphierende Tätigkeit sein Beruf war.

Am Ende des Arbeitstages in dem hellgrau angestrichenen Giebelholzhaus am Rand der vor allem von Indianern bevölkerten Siedlung weit weg im hohen Norden des anderen Erdteils, das ihm und seinem Kollegen Lauffer schon seit einigen Monaten als Labor und zugleich Wohnstatt diente, hatte er die abwechselnd benützten Mikroskope und Ferngläser mit Schutzhüllen versehen und war, mit einem aufgrund der vielen Blickwechsel noch schiefen Gesicht, durch den draußen vom Sonnenuntergangslicht mit den schwebenden, weißwolligen Strauchpappelsamen erzeugten episodischen Raum wie durch einen Feierabendkorridor zu »seinem« Gestade hinübergegangen.

An dessen Lehmsockel – er hätte hinabspringen können – begann der ungeheure Bereich des zum gesamten Horizontrund wegfliehenden, menschenleer glänzenden, den Kontinentschild von Ost nach West durchflutenden und zugleich stetig in dem wohl punkthaft besiedelten, doch eigentlich unbewohnten Tiefland nach Nord und Süd mäandernden Stroms, welcher zu Sorgers Füßen, infolge der jahreszeitlichen Trockenheit und gestoppten Gletscherschmelze hinter eine breite Kiesel- und Schotterbankfläche und noch einen feuchten Schlammabhang zurückversetzt, mit leichten, langgestreckten Seewellen an Land schlug.

Die Stromebene erschien als ein stehendes Gewässer auch dadurch, daß sie sich allseits bis zum Horizont ausdehnte, wo die Horizontlinien selber aber, als ein Phänomen der Mäanderbiegungen, nicht von den ost-westströmenden Fluten, sondern von festem Land, den Ufern der dortigen Flußkrümmung mit dem obenauf wachsenden Strauchpappeldickicht oder den sehr kleinwüchsigen, an sich schütteren, auf die Entfernung jedoch wie dichtgereiht stehenden Zacken der Nadelholzurwälder gebildet wurden.

Dieser von allen Himmelsenden nur durch flach

wirkende Landstriche abgegrenzte scheinbare See strömte freilich unfixierbar schnell und, bis auf das wannenhafte Plätschern der Wellen an den Schlammstrand, auch lautlos und fast einheitlich glatt dahin, als ein das ganze Tiefland ausfüllender, vom Sonnenuntergangshimmel gelbgespiegelter, zunächst gar nicht als Naß wahrnehmbarer Fremdkörper, mit vereinzelten, in der vagen Dämmerungsluft schon relieflos liegenden Inselstücken und Sandbänken; nur wo über den unsichtbaren Gruben, Dellen und Löchern im Sand- und Kiesboden des Strombetts an der Wasseroberfläche sich Wirbel in der sonst so kompakten metallgelben Masse ergeben hatten, zeigten diese heftig auf der Stelle kreiselnden Trichter nicht das Gelb, sondern, da sie in einem anderen, schieferen Winkel zum Himmel standen als der glatte Fluß, ein entfernteres Tagesblau, aus dessen Innern, im sonst fast vollkommen stillen Wegströmen, leise, bachähnliche Geräusche kamen.

Sorger war beflügelt von der Vorstellung, daß diese Wildnis vor ihm durch die Monate der Beobachtung, in der (annähernden) Erfahrung ihrer Formen und deren Entstehung, zu seinem höchstpersönlichen Raum geworden war; indem ihm die verschiedenen an dem Landschaftsbild beteiligten Kräfte, ohne daß er sie in der Vorstellung erst herbeibemühen mußte, schon im bloßen Wahrnehmungsvorgang, zugleich mit dem Erfassen des großen Wassers, dessen Strömens, dessen Wirbel und Schnellen, gegenwärtig waren, wirkten sie, mochten sie in der Außenwelt einst auch zerstörerisch gewesen sein (und die Zerstörung immer noch fortsetzen), durch ihre Gesetze zu einer guten Innenkraft verwandelt, stärkend und beruhigend auf ihn. Er war überzeugt von seiner Wissenschaft, weil sie ihm half, zu fühlen, wo er jeweils war; das Bewußtsein, gerade jetzt auf dem Gestade eines Flachufers zu stehen, während das meilenweit entfernte, durch die Inseln dazwischen kaum sichtbare andere Ufer tatsächlich doch um einiges steiler war, und diese seltsame Asymmetrie der abdrängenden Kraft der Erddrehung zuschreiben zu können, war nicht unheimlich, gab vielmehr eine Idee von der überschaubaren Ziviliertheit und Heimatlichkeit des irdischen Planeten, die seinen Geist spielerisch und seinen Körper sportlich machte.

Dazu gehörte auch die Augenblicksvorstellung, daß gleichzeitig mit den über die Landschaft treibenden Pappelsamen auf dem Boden der Stromrinne gerade im Verborgenen die Schotterkugeln dahinglitten, sich rollend überschlugen oder sogar langsame Bogensprünge vollführten, eingehüllt in Schlammwolken und weiterbefördert von natürlichen Wasserwalzen, welche – tief unter der stillen Oberfläche in der Gegenrichtung rotierend – er sich nicht denken, sondern sinnlich miterleben konnte: Sorger versuchte, wo auch immer er war, sich solcher burlesker, winziger Abläufe zu vergewissern, die ihn manchmal angenehm zerstreuten, dann wieder, schön aufregend, ganz und gar einnahmen.

Seit einigen Jahren – seit er fast immer allein lebte – hatte er es nötig, genau zu fühlen, wo er in jedem Augenblick war: die Abstände gewärtig zu haben; sich der Neigungswinkel sicher zu sein; Material und Schichtung des Grunds, auf dem er sich jeweils befand, zumindest in einige Tiefe hinunter zu ahnen; durch Messen und Begrenzen sich überhaupt erst Räume herzustellen, als »bloße Formen auf dem Papier«, mit deren Hilfe er aber, jedenfalls auf eine kleine Dauer, auch sich selber zusammenfügte und unverwundbar machte.

Sorger brauchte die Natur, jedoch nicht nur als das »Natur«-Belassene – sondern es genügte ihm zum Beispiel, in beliebigen Großstädten der kaum wahrnehmbaren, auch asphaltüberzogenen Buckel oder Mulden innezuwerden, sachter Senkungen oder Hebungen im Straßenpflaster, der durch die Jahrhunderte eingetretenen Kirchenböden und Steintreppen; oder in einem zunächst fremden Hochhaus sich von ganz oben senkrecht durch alle Stockwerke bis in den Untergrund hinabzuphantasieren und in solcher Art tagzuträumen etwa den Granitsockel dort nachzuvollziehen – und Orientierung und lebensnotwendiger Atemraum (und damit Selbstvertrauen) ergaben eins das andere.

Er hatte die Fähigkeit (welche freilich nicht beständig, sondern sporadisch und zufällig war, wobei seine berufliche Beschäftigung den Zufall erst ermöglichte und ein wenig beständiger machte), die Welt-Räume, in die er sich durch seine Arbeit einmal eingelebt hatte, im Notfall zu Hilfe zu rufen – oder auch bloß zur Unterhaltung von sich und anderen herbeizuzitieren, mit allen Begrenzungen, den Licht- und Windverhältnissen, den Längen- und Breitengraden, dem Stand der Himmelskörper, als immer friedliche, allen und niemandem gehörende Bilder zu noch auszudenkenden Begebenheiten.

In jeder neuen Umgebung, mochte diese sich dem ersten Blick als einförmig übersichtlich oder durch Gegensätzlichkeit pittoresk, jedenfalls faßbar eröffnen, folgte doch gleich nach diesem Moment der naiven Raumvertrautheit wie endgültig die als Gleichgewichtsstörung erlebte stumpfsinnige Befremdung, wieder einmal vor bloßen, zudem bekannten Kulissen zu stehen, noch verstärkt durch das Schuldgefühl, auch hier »nicht am Platz zu sein«: deswegen war es mit der Zeit Sorgers Leidenschaft geworden, draußen bleibend und die erste Leere aushaltend, diese so schnell verspielten Räume durch Betrachtung und Aufzeichnung für sich zurückzugewinnen; seit langem ja nirgends zu Hause und also nicht in der Lage, nach solchen touristischen Demütigungen durch die Erdgegenden sich zwischen eigenen vier Wänden wiederzufinden, sah er in dem Ort jetzt und hier seine einzige Möglichkeit: wenn er sich nicht auf ihn (oft verdrossen) mit einer Arbeitsanstrengung einließe, gebe es auch keine Zuflucht mehr zu den Räumen seiner Vergangenheit – im Glücksfall aber, in der seligen Erschöpfung, fügten sich alle seine Räume, der einzelne, neueroberte mit den früheren, zu einer Himmel und Erde umspannenden Kuppel zusammen, als ein nicht nur privates, sondern auch den anderen sich öffnendes Heiligtum.

Nach dem ersten Mißmut über die sich jedesmal vorschnell verheißende und gleich wieder entziehende Natur mußte sich Sorger, wollte er nicht verlorengehen, mit aller Heftigkeit in sie vertiefen. Er hatte die Umwelt in jeder geringsten Form – einer Rille im Stein, einer wechselnden Färbung im Schlamm, dem vor einer Pflanze angewehten Sand – ernst zu nehmen, wie nur ein Kind ernstnehmen kann, damit er, der kaum irgendwo Zugehörende, sonst nirgendwo Zuständige, sich für wen auch immer zusammenhielte – und das gelang ihm manchmal nur mit wütender Selbstüberwindung.

Für wen also der Zusammenhalt? Sorger war sich bewußt, wie sehr er mit seiner Wissenschaft zugleich eine Religion ausübte: erst seine Arbeit machte ihn immer wieder beziehungsfähig, und wahlfähig, im zweifachen Sinn: er konnte wählen und gewählt werden. Von wem? Von wem auch immer; er wollte nur wählbar sein.

Seine Erfassung der Erdgestalt, nicht fanatisch betrieben, sondern so inständig, daß er sich selbst dabei allmählich als Eigengestalt mitfühlte, hatte, indem sie ihn von der mit bloßen Launen und Stimmungen drohenden Großen Formlosigkeit abgrenzte, tatsächlich bis jetzt seine Seele gerettet.

Und die anderen? Sorger hatte in seinem Beruf noch keine Arbeit verrichtet, mit welcher er jemandem ausdrücklich nützlich gewesen wäre oder vielleicht sogar irgendeiner Gemeinschaft gedient hätte: weder hatte er bei einer Ölbohrung mitgewirkt, noch ein Erdbeben voraussagen können, noch auch nur als Verantwortlicher die Untergrundfestigkeit eines Baustellenprojekts geprüft. Aber er war sich »seiner Tatsache« gewiß: ohne seine Anstrengung, das Befremdende jeder Erdgegend auszuhalten, mit den verfügbaren Methoden in der Landschaft zu lesen und das Gelesene in einer strengen Ordnung weiterzugeben, wäre er kein Umgang gewesen, für niemanden.

Er glaubte nicht etwa an seine Wissenschaft als an eine Art Weltreligion, sondern die immer gemessene Ausübung seines Berufs (»Maßarbeit« war

Sorgers Vorgangsweise für den daneben chaotischen und oft auch liebenswert sprunghaften Lauffer) geschah zugleich als eine Weltvertrauens-Übung, wobei die Gemessenheit in den technischen und auch den alltäglichen Handhabungen ein steter Versuch zur Meditation war, welcher ihn freilich an Orten wie Badezimmern, Küchen oder Werkzeugkammern manchmal nur gravitätisch herumtapsen ließ. Sorgers Glaube war an nichts gerichtet; er bewirkte bloß, wenn er ihm gelang, ein Teilhaftigwerden an »seinem Gegenstand« (einem durchlöcherten Stein, aber auch einem Schuh auf dem Tisch, einem Nähfaden auf dem Mikroskop) und begabte ihn, den oft Bedrückten, der sich nun wirklich als Forscher fühlen konnte, mit Humor: in ein stilles Vibrieren versetzt, schaute er sich dann einfach seine Welt näher an.

In solchen Zeiträumen der selbstlosen Zuneigung (in den flüchtigen Momenten der Hoffnung sah er sich als den Dummen) war Sorger nicht göttlich; er wußte nur, kurz, doch verewigbar durch Formen, was schön und gut war.

Es verlangte ihn wohl nach einem auf etwas gerichteten Glauben, ohne daß er sich einen Gott je denken konnte; aber in Zeiten der Bedrängnis merkte er, daß er – bloß zwanghaft? – geradezu flehentlich immer einen Gott *mit*denken wollte. (Zuweilen wünschte er sich, fromm zu sein – was ihm nie gelang; er war dann aber sicher, daß »die Götter« ihn verstanden.)

Beneidete er die unablässig Glaubenden, die schon gerettete Schar der Gläubigen? Jedenfalls war er berührt von ihrer Launenlosigkeit, ihrem so mühelosen Wechsel zwischen Ernst und Heiterkeit, ihrem beharrlichen, wohltätigen, guten Nach-Außen-Gekehrt-Sein; er selber war manchmal kurzweg *nicht gut,* und er fand sich auch nicht damit ab: zu oft begrüßte er etwas mit wortreicher Begeisterung, von dem er sich gleich darauf in stummem Unwillen wieder abkehrte – statt es ein für alle Male zu beantworten mit einem übergreifenden Humor.

Dennoch waren die Gläubigen keine Gesellschaft für ihn. Er verstand sie, doch er konnte in ihrer Sprache nicht mitreden, weil er sprachlos war, oder, in den Ausnahmezuständen seiner Religiosität, mit einer ihnen fremden Zunge geredet hätte: in der »dunklen Nacht ihres Glaubens«, wo es kein Reden in Zungen gab, wäre er ihnen unverständlich geblieben.

Sorger dagegen konnten die Sprachformeln seiner Wissenschaft, bei allem Überzeugtsein, immer von neuem als ein fröhlicher Schwindel erscheinen; ihre Riten der Landschaftserfassung, ihre Beschreibungs- und Benennungsübereinkünfte, ihre Vorstellung der Zeit und der Räume, kamen ihm fragwürdig vor: daß in einer Sprache, welche sich

aus der Menschheitsgeschichte gebildet hatte, die
Geschichte der unvergleichlich anderen Bewegungen und Gebilde des Erdballs gedacht werden
sollte, bewirkte noch immer einen ruckhaften,
körperlichen Taumel, und es war ihm oft geradezu unmöglich, mit den zu untersuchenden
Orten die Zeit mitzudenken. Er ahnte die Möglichkeit eines ganz verschiedenen Darstellungs-
schemas der Zeitverläufe in den Landschaftsformen und sah sich, verschmitzt und schmunzelnd
wie seit jeher die Umdenker (das war ihm auf all
ihren Photographien aufgefallen), der Welt seinen
eigenen Schwindel unterschieben.

So konnte Sorger, in der Feierabend-Beschwingt-
heit fähig zum Gedankenspiel, jetzt vor der gelben
Wildnis auch die Verlassenheit dessen nachfüh-
len, der ohne Glauben an die Kraft der Formen
oder durch Unkenntnis auch ohne Möglichkeit
dazu, sich wie in einem Alptraum allein vor dieser
Erdgegend fände: es wäre das Entsetzen vor dem
Leibhaftigen, dem unwiderruflichen Ende der
Welt, wo der Betreffende vor Alleinsein – auch
hinter ihm gäbe es nichts mehr – nicht einmal an
Ort und Stelle sterben könnte: denn es gäbe weder
Ort noch Stelle mehr – nicht einmal von dem
Leibhaftigen geholt werden könnte: denn es gäbe
auch solche Namen nicht mehr – einfach nur ewig
vor Entsetzen verginge; denn es gäbe auch keine
Zeit mehr. Und die Stromebene und der weite fla-

che Himmel darüber erschienen plötzlich als die beiden Teile einer aufgeklappten Muschel, aus welcher, schrecklich verführerisch, mit einem Schauder schneller, scharfer Wollust der Sog der seit dem Beginn der Zeiten Verschollenen kam. Unwillkürlich, aus dem Spiel gerissen, drehte sich Sorger, als sein eigener Doppelgänger auf einem Lehm-, Mergel- und vielleicht Goldstaubvorsprung dieser schwirrenden, gleichsam immerzu die Richtung wechselnden Leere ausgesetzt, nach dem zivilisierten Hinterland um, wo die buschigen hellen Schweife der Kettenhunde überall zwischen den Gebüschen wedelten, wo die auf den Erddächern der Indianerhütten sprießenden Grasbüschel leuchteten, und wo der »ewige andere« – so sah er seinen Kollegen Lauffer in diesem Moment – in schlammverkrusteten Schaftstiefeln und der Spezialjacke mit den vielen Taschen, eine blinkende Lupe um den Hals, von der Geländearbeit gerade zurückgekehrt auf der obersten Holzstapfe vor dem Giebelhaus stand, das Gesicht und den Oberkörper noch in der Sonne, in der ersten Ratlosigkeit der Heimkehr an einen Ort, der ihm zum bloßen Aufenthalt diente, zunächst einmal starr und zugleich ungebärdig die Haltung Sorgers nachahmend und wie dieser in das riesige Stromland hineinblickend, eine Zigarette rauchend, mit ähnlich verkniffenem Gesicht, als stellte er, eine seltsam hilfsbedürftige Figur, einen der in einer

Reihe gestaffelten identischen Hintermänner dar.

Lauffer war ein Freund, mit dem die gegenseitige Vertrautheit sich nicht in Kumpanei, sondern in zuweilen fast schüchterner Höflichkeit äußerte. Nie würde zwischen ihnen, die doch täglich von Launen abhingen, der Ausbruch von Launenhaftigkeit möglich sein (der ihnen manchmal notgetan hätte). Obwohl sie sich den Arbeitsraum des Hauses teilen mußten, war es nur am Anfang vorgekommen, daß sie einander im Weg standen; jeder hatte, auch im Schlafzimmer – das Haus bestand nur aus diesen zwei Räumen – ohne Plan seinen Platz. Es gab die selbstverständliche Gemeinsamkeit, doch sah es wie ein Zufall aus, wenn sie jeweils etwas zusammen taten; jeder ging nur mit den eigenen Sachen um, hatte, selbst im Haus, eigene Wege. Sie aßen nicht wirklich gemeinsam, sondern der eine kam dazu und aß mit dem anderen, der regelrecht speiste, und wurde dann etwa aufgefordert: »Trinkst du mit mir ein Glas Wein?« Wollte einer Musik, ging der Partner nicht hinaus, sondern hörte, ohne ausdrückliche Teilnahme, vielleicht auch allmählich zu – wünschte sich ein Stück sogar wiederholt.

Lauffer war ein Lügner; Sorger, bei aller Beruhigtheit und Undurchdringlichkeit, immer noch ein bis zur abrupten Gleichgültigkeit, ja Treulosigkeit unbeständiger Mensch: beide ahnten oder kannten stillschweigend das Ungute des anderen (es sogar gespenstischer vorfühlend als der, gegen den es sich tatsächlich einmal gerichtet hatte) und waren, gewitzt in dem Bewußtsein, daß sie wohl zu einem Dritten sich immer wieder als Schurken verhalten könnten, niemals aber unter sich, über die Jahre froh, einander zu haben: mit dem Freund zusammen, erlebte jeder sich als Gutgesinnter, jedenfalls nie als Bösewicht.

Sie bildeten kein Paar, nicht einmal im Kontrast; waren vielmehr mit der Zeit, auch auf die Entfernung, Partner geworden – eingespielt, aber nicht verschworen: die Widersacher des einen konnten die guten Bekannten des anderen bleiben.

Lauffer, der Lügner, hatte freilich keine Feinde, und seine Lügenhaftigkeit war fast nur hin und wieder Frauen aufgefallen, ganz wenigen zudem, die sich dann aber, als wüßten sie ein tragisches Geheimnis, wie auf Leben und Tod, Lauffer dabei völlig für sich beanspruchend und alle übrige Welt aus der Beziehung aussperrend, mit ihm verbündeten.

Ohne sich einzuschmeicheln war er überall sofort beliebt, und die Leute nannten ihn auch in seiner Abwesenheit beim Vornamen, nicht erst hier auf dem amerikanischen Kontinent, wo das ja üblich war. Es wurde zwar auf ihn geschimpft, aber jeweils so, wie man manchmal seinen Helden schmäht: niemals würde man zulassen, daß ein

Außenstehender ihn angriffe. Bei all seiner körperlichen Unstetigkeit – wenn er dem oft versun-
kenen Sorger gewaltsam still gegenübersaß,
wirkte er beflissen und puppenhaft – zeigte er
schon auf den ersten Blick, auch durch seine gar
nicht athletische, sondern belustigende und dadurch wie brüderlich wirkende Massigkeit, eine
glückliche Einheit, eine ruhelos sich bewegende
Mitte, an der man teilnehmen wollte; er, der Lügner, hatte etwas Verläßliches: man war jedesmal
erleichtert oder einfach erfreut, ihn wiederzusehen, mochte er auch bloß kurz den Kopf zur Tür
hereinstrecken.

Er log freilich nicht von sich aus, sondern gleichsam erst in der Antwort auf die allseits ihn beäu-
gende, von allen Gutgesinnten – und er kannte nur
solche – dargebrachte Mittler-Erwartung, welche
er, auf die Dauer natürlich außerstande, sie einzu-
lösen, und dann unverschämt und geradezu unan-
ständig lügend, auch nicht enttäuschen durfte. Die
Tatsache war, daß Lauffer allüberall ohne sein
Zutun als ein Einsammler von Versprengten
diente und sich dadurch zu einer Harmlosigkeit
verurteilt sah, in der er sich nicht wiedererkannte:
er war kein leidenschafts- oder geschlechtsloses
Wesen, sondern verfolgte insgeheim, für sich selber auf ganz andere Weise ein Held als für die vielen sich seine Freunde Nennenden, den Traum
oder Wahn von der Größe.

»Ich möchte gefährlich sein wie du«, sagte er, während er mit Sorger im Haus beim Abendessen saß, das sich wieder einmal zufällig ergeben hatte.

Der Tisch stand am westlichen Fenster, das in seinem Mittelteil, wo Fluß und Abendhimmel es querten, ein gelbes Viereck mit langen dunklen Streifen, und darüber und darunter (Wolkenbank und Festland) schon tiefschwarz war, ohne ein Mückennetz davor; die Moskitos, wenn sie auch noch vereinzelt geradeaus und torkelig daherflogen, stachen nicht mehr, setzten sich nur manchmal auf den Handrücken und blieben dort.

Die Mahlzeit waren bei der Geländearbeit gesammelte hellbraune, im Geschmack den chinesischen ähnliche Pilze, die ein wenig die Feuchte des Bodens angenommen hatten, wo das Wasser nicht in die gleich darunter ständig gefrorene Schicht wegsickern konnte; dazu von den Indianerfischern erworbene dicke weißliche Stücke von Lachs und die letzten übergroßen Kartoffeln, noch aus dem eher formlosen »Sommergarten« geerntet, welcher im windgeschützten Osten hinter dem Giebelhaus lag. Sie tranken einen im »Handelsposten« genannten Supermarkt der Ansiedlung gekauften Wein, so kalt, daß dessen Süße, zusammen mit den bitteren Pilzen und dem Fisch, eine Zeitlang schmackhaft war.

Es war einer der ersten Herbsttage, in einem Haus,

dessen Inneres, mit den Einrichtungsgegenständen und den technischen Geräten, als geheimnislos praktischer Allerweltsplatz anheimelte: erst
bei einem wenn auch achtlosen Blick ins Freie passierte vielleicht jenes erhabene und zugleich bange
Gefühl, eine schwindelerregende Raumflucht in
den draußen weltfern sich dehnenden Hohen
Norden; und auch ohne den Blick hinaus konnte
doch, selbst beim Essen und Trinken, in den Augenwinkeln ein befremdendes Licht einfallen, das
an den Gegenständen zwar beständig mitwirkte,
als eigene Helligkeit aber erst erlebbar wurde in
dem phantastischen kleinen Ruck von innen her,
mit dem das Bewußtsein erfuhr, daß es tatsächlich
»weit, weit weg« war, »ganz woanders«, in einem
anderen Erdteil.

Die schwarzweiß gefleckte Katze, die zu dem
Haus gehörte, blieb, nachdem sie die Fischreste
gefressen hatte, auf dem Tisch sitzen – es gab, bei
den eher dünnen Holzwänden, keine Fensterbank
– und schaute zu dem im Abendwind stark geschüttelten Flußauengestrüpp hinaus, ab und zu
mit dem sonst starren Kopf und der Pfote einer
einzelnen gegenläufigen Bewegung im Buschdikkicht folgend.

Der Wind wehte stromaufwärts und erzeugte auf
der immer noch gelben Fläche jetzt heftige kleine
Wellen, die nach Osten liefen, als flösse auch das
Wasser in diese Richtung; erst an den Rändern des

Bildes wurde in mächtigen spiralenförmigen Schlieren die wahre Strömung deutlich, wo, fast stofflich wirkend, wie ins Wasser geworfenes Gekröse, sich die schon nachtschwarzen Strudel drehten. Weit unten im Westen richtete sich, halb schon im Uferschatten, immer wieder ein finsteres Gebilde hoch aus dem Wasserspiegel auf, erzeugte dabei einen rhythmisch ins Haus herdringenden Knarrton und fiel dann jeweils ins Wasser zurück, mit einem tierhaften, die ganze leere Landschaft durchdringenden Geschnarch: es war einer der letzten Tage, da die Indianer, bei dem sinkenden Pegelstand, dort vom Fluß ihre großen hölzernen Fischräder antreiben ließen, welche ihnen als Fangturbinen auch über Nacht die Lachse einsammelten.

Jenseits des Rades, wo der Strom schon seiner Mäanderkrümmung nach Norden folgte, zog sich wie an dem Rand eines Lagunenbogens die gezackte Horizontlinie des niedrigen, kompaktbraunen Fichtenurwalds hin. Dadurch, daß die Spitzen der wenigen höheren Bäume aus der flachen, sich weithin erstreckenden Masse ragten, schienen dahinten in der Ferne, mit den schmalen Inselrücken als Haff vorgelagert, wirklich die Türme einer Lagunenstadt vor einem reinen Himmelsraum zu stehen. In dieser völlig dunkelgefallenen Stadt, deren Einzelheiten nur noch an der Spiegelung in dem um so helleren Stromwasser sichtbar wurden, knallte es manchmal von Gewehrschüssen, oder es bellte ein verlorener Hund, was aber vielleicht bloß als ein hallendes Echo von dort ins Dorf zurückkam, wo bis spät in der Nacht allerorten die meist in Rudeln gehaltenen Hunde jaulten.

Ein Nachen, in dem, da die Insassen knieten oder kauerten, kein Mensch zu sehen war, glitt aus dem Schatten der Lagunenbucht in die Resthelle hinaus und zog eine tintenblaue Furt hinter sich her. Eine Büchsenkugel, wie aus dem Hinterhalt über das Wasser geschossen, streifte die glatte Fläche, die sich davon kaum kräuselte, und sprang dann weg in einen Inselbuschwald hinein, wo ein paar Raben aufflogen.

Sorger, früh in der Nacht mit dem von Lauffer geliehenen Jeep unterwegs zu der Indianerin, die ihn nie erwartete, ihm aber bei Gelegenheit spöttisch und gutmütig, zuzeiten sogar in einer Art zufriedener Würde diente, hatte vor sich, in den Schlaglöchern des am Gestade entlangführenden Schotterwegs, eine zwar nicht mehr blinkende, doch immer noch fahlhelle Pfützenreihe, die der ebenfalls fahlhellen Stromfläche zugeordnet schien. Aber auch diese Wasserfläche mit den eingelagerten Sandbänken ruhte nicht mehr in sich, sondern ging ohne unterscheidbare Grenzlinie in den die ganze Horizontferne einnehmenden und wie ein

Sinnbild für den Polarkreis stehenden lichten Himmelsstreifen über: die dünnen schwarzen Wolkenbänder darin konnten auch die hintersten Inseln im Stromland sein, und die oben um die Wolken sich gabelnde letzte Himmelshelligkeit war vielleicht immer noch der westwärts fließende Strom.

Sorger hatte gestoppt und wollte dieses Raumereignis festhalten. Aber es gab schon keinen Raum mehr, nur noch, ohne Vorder- und Hintergrund, bei endlich sich verlierender Perspektive, eine mächtig und sanft sich erhebende Offenheit vor ihm, nicht leer, sondern glühend stofflich, und der aufgeregte Sorger, zu Häupten und im Rücken um so heftiger den stockdunklen Nachthimmel, und zu seinen Seiten und Füßen die tiefschwarze Erde empfindend, versuchte die Naturerscheinung und die in ihr geschehende Selbstvergessenheit am Vergehen zu hindern, indem er die widersprüchlichen Einzelheiten geradezu wild aus dem Bild herausdachte – bis sich doch wieder Perspektive und Fluchtpunkte und ein klägliches Alleinsein einstellten. Für einen Augenblick freilich hatte er in sich die Kraft gespürt, sich als Ganzes in den hellen Horizont wegzuschießen und dort für immer in die Ununterscheidbarkeit von Himmel und Erde aufzugehen.

Er saß in dem weiterfahrenden Auto, den Körper starr und wie von allen Apparaturen abgerückt, und hielt das Lenkrad ziemlich weit oben, als gehörte er nicht dazu.

Wege ohne Namen führten an Hütten ohne Nummern vorbei. Vor manchen Fenstern hingen Schaffelle wie schon für den Winter. Die Elchgeweihe über den Eingangstüren standen sehr weiß und übergroß ins Scheinwerferlicht. Im finsteren Bereich unter den Hütten, die erhaben auf Holzklötzen ruhten, regten sich die Schatten des dort liegenden Gerümpels. Der am Waldrand entlang führende Flugzeuglandestreifen, ein sich in den Scheinwerfern zuspitzendes Schotterfeld, lag weit und leer und war zu beiden Seiten gesäumt von kurzstieligen roten Markierungsleuchten; und ein herrenloser Hund steckte mit funkelnden Augen den Kopf aus seinem Erdloch. In der verlorenen Kolonie, zu welcher keine Straße des amerikanischen Überlandsystems mehr hinführte – sie war auch nicht mit dem Schiff, nur mit kleinen Flugzeugen zu erreichen –, gab es doch viele schmale, kurz in die Urwälder bis zu den Sümpfen reichende und dort abbrechende Wege, und zu jeder Behausung gehörte mindestens ein Auto, mit dem die Bewohner selbst die geringsten Strecken zurücklegten, im Höchsttempo zwischen den Gebüschen kurvend und Schlammstücke von den Wegen, die nie austrockneten, gegen Bäume und Hüttenwände schleudernd. »Die Indianerin« (so nannte sie Sorger immer in Gedanken, auch wenn er bei ihr war) erschien ihm in dieser zwar flachen, doch, mit all ihren Gegenständen, Pflanzen, Tieren und Menschen, täglich neu aufgerauhten, wie beinernen, schneidend scharfen Weltgegend mit einladender, dabei kühl leuchtender Glätte – als sei »die Glatte« ihr beständiger Schmuckname.

Sie hatte ihn damals, als es nachts nie recht dunkel wurde, in der dem Supermarkt angeschlossenen Bar zum Tanzen geholt; ihr breiter, anders feiner Körper (er wußte nicht, wo beim Tanz die Hände hintun), der ihm die Bewegungen vormachte, hatte ihn zunächst befremdet und auf eine Weise, wie er sich selber nicht wollte, gereizt; ihr dagegen schien alles an ihm wie üblich zu sein, oder sie nahm ihn jedenfalls hin; ihre Glätte war verlockend, ihre Nachsicht ansteckend.

Die Stammesangehörigen – es gab eigentlich fast keinen Stamm mehr, nur noch die in den Hütten bei Kassettenmusik biertrinkend Ausharrenden, und hinter ihnen im Wald die großen Gräberrücken der alten Friedhöfe – sollten von ihrer Beziehung zu dem Auswärtigen nichts erfahren: als vom Gesundheitsdepartment bestellte und allein über den Medikamentenbestand für die Siedlung verfügende Krankenpflegerin würde sie sonst das Vertrauen ihres Volkes verlieren, »Körpergeruch bekommen«, »aus ihren Wangen würden Frösche springen« und das Dorf mit rätselhaften Krankheiten anstecken, so daß sie selber »mit einer

Schere aus Stein« getötet werden müßte. Ihr Mann, Nichtschwimmer wie so viele Bewohner dieser Breiten, war beim Fischen im Strom ertrunken; ihr wiederkehrender Traum war, daß sie ihn als hölzerne, gefiederte Maske aus dem Wasser zog.

Vor ihrem Haus stand ein hoher Totempfahl, sehr bunt im Scheinwerferlicht, an dem das Fahrrad ihrer beiden Kinder lehnte; und durch das vorhanglose Fenster sah er zuerst ihre runde Stirn als einen solch vertraulichen Willkommensgruß, daß er gar nicht ihr Zeichen abwartete, sondern in der Gewißheit, die Kinder seien schon eingeschlafen, gleich eintrat.

Das eine Kind, im tiefen Schlummer wie ohne Geschlecht, war in die Ellbogenbeuge des anderen schlafenden Kindes sanft verbissen, und der große, halbdunkle, doch nicht düstere Raum schien dann abgeschieden vom übrigen, ein nur ihnen zugängliches Lager, an dessen Wänden die Schatten der draußen in der Nacht sich bewegenden Gebüsche liefen: und trotzdem sah er – ihr zuschauend, nachgebend, sich entschlossen in ihre phantastische Maschine verwandelnd (wie sie in die seine) und, eher als sie »glücklich machend«, an ihrem dauerhafteren Stolz teilnehmend – nicht sich als Betrüger, sondern den Tatbestand des unvermeidlichen, von ihm gar nicht verantwortbaren Betrugs.

Es war nicht nur, daß er vor ihr eine (übrigens auch für sie) fremde Sprache benutzen mußte, in der er eine andere Stimme hatte als in der eigenen: noch vor solcher Besonderheit, die vielleicht sie beide allein betraf, bestand der Zwiespalt zwischen dem untätigen Begehren, da er sich und die andere schon in der Vollendung wußte, und dem leibhaftigen Vollzug, welcher dann irgendwie enden mußte, bei allem immer wieder zu ahnenden Triumph, der aber jedesmal ausblieb; jedesmal schien es das einzige Gültige und hatte dann kaum gegolten. Die erwartete Vereinigung verhinderte das Begehren nicht, entkräftete es jedoch zu einer jähen, unsteten Momenthaftigkeit, machte, gerade in der Schwäche, ein schlechtes Gewissen, und dann um so gewissenloser. Das hieß: er liebte sie nicht; wußte, daß er eigentlich nicht zu ihr kommen sollte, und trieb es, wenn sie um ihn war, in seiner Unschlüssigkeit ganz abrupt mit ihr. Wie war es gekommen, daß er sich in keiner Umarmung mehr sehen konnte, nur noch allein?

Er wünschte, sie dafür mit seiner Sprache, durch seine Sprache liebzuhaben, und starrte sie statt dessen nur still drohend an, bis sie nach der ersten Verwunderung – und nicht bloß ihm zu Gefallen – Angst bekam. Er spielte mit dem Gedanken, sie zu töten; oder ihr wenigstens etwas zu stehlen oder zu zerstören; niemand wußte ja, daß er hier war. »Ich liebe dieses Jahrhundert nicht«, sagte er dann, und sie antwortete langsam, als lese sie ihm die Zukunft: »Ja, du bist gesund und gehst vielleicht verloren.«

Sie wußte gar nicht, woher er stammte, lachte bei der Unvorstellbarkeit eines anderen Erdteils. War der Streifen am Himmel nun endlich verschwunden? Der Stromgenerator erdröhnte in seinem Blechverschlag hinter dem Haus, und in einer ortlosen Finsternis, jenseits aller Breiten- und Längengrade, erzitterten die Wasserlachen und drehten sich im Kreis herum. Weiße Schafgarbenblüten kräuselten sich im Frost; gelbköpfige Kamillenbüschel wurden Luftaufnahmen von brennenden Wäldern. Wie ein Alarmrasseln der Orientierungslosigkeit ging es jetzt aus Sorgers tiefstem Innern durch das nächtlich schweigende Tiefland immer weiter nach Norden – was war im Augenblick Norden? – bis zum Schwemmland der Tundra und ließ dort einen Eiskegel einbrechen, der sich als Blase vor tausend Jahren aufgewölbt hatte und, mit Sand und Schotter bedeckt, von außen gar nicht als Eisstück zu erkennen gewesen war; ein Krater mit einem See würde sich nun bilden, als hätte da in der Polnähe einmal ein kleiner Vulkan gestanden. Der Strom hinter der Hausböschung floß nur noch an der Oberfläche: knapp darunter, die obenauf schwimmenden Zweige und Blätter schon erfassend und schnell einkapselnd, füllte ein glatter Eiskörper vom Quellgebiet bis zur Mündung das Flußbett aus und gab dem Wasser schon seine Glasfarbe. Die Stirnen vieler Menschen lagen gerade auf dem kühlenden Emailrand eines Waschbeckens, und die Kinder hier im Bett würden sich die ganze Nacht nicht mehr umdrehen. Und Lauffer, im Stehen einen Brief lesend – war nicht heute Posttag gewesen? – und das Blatt mehr mit den Handballen als mit den Fingern festhaltend, in Sorgers Vorstellung neben sich auf dem Sofa einen leicht zur Seite gekippten Obstkorb, schaute zwischendurch die ihn nicht aus den Augen lassende Katze an, bis diese endlich die Augen schloß. Wind sauste in den leeren Bierkannen draußen im Gestrüpp, und zugleich geschah ein äolisches Brausen im Kopf von dem Wind aus der Vorzeit, der den Boden zusammengetragen hatte, auf dem jetzt die Hütte stand. Sorger witterte geradezu, wie sich aus all dem Gleichzeitigen und doch Unvereinbaren die wohlbekannte Unwirklichkeit um ihn zusammenzog und ihn gleich wegfegen würde; und es wäre wieder einmal seine eigene Schuld. »Ich muß nach Hause. Ich muß schlafen.« Die Faust auf den Kopf geschlagen; auch eine Art Gebet: das sogar wirkte. Der Spuk verging; das Raumgefühl kam zurück. »Was siehst du?« fragte die Indianerin, und er spürte Zuneigung für sie in seinen Augenwinkeln, umarmte die Frau und meinte es ernst damit. Sie hielt ihn fest, und als er aufschaute,

merkte er zum ersten Mal, daß die Ausdruckslo-
sigkeit ihres Gesichts, in dem er ein schönes Alter
voraussah, vollkommene Teilnahme war.

Sorger hatte sich, von ihr zugleich bewirtet, noch
eine lange Geschichte angehört, wo jemand eine
schlafende Frau dadurch verführte, daß er sie an
Kupfer riechen ließ; war förmlich zur Tür begleitet worden und dann gutgelaunt in der freundlichen arktischen Nacht nach Hause gefahren. Die
vorzeitige Müdigkeit, hereingebrochen »wie eine
Abweichung aus der Senkrechten«, wohl auch
durch das beflissene Reden in der Fremdsprache
(wobei ihm gleichsam seine »Gefährlichkeit« erschien als eigne, nicht geheure Person), war nie gewesen, und er betrat das aus der Dunkelheit
schimmernde Giebelholzhaus, schon von weitem
dessen Farbe, Gestalt und Material als Energie auf
sich übertragend (der Strom hinter der Böschung
ein kleines Plätschern geworden), unterneh-
mungslustig und mit einem geradezu hitzigen Na-
turerforschungsdrang – auch wenn er sich dann in
dem verlassenen Laboratorium, Lauffer schlief
schon nebenan, mit einem Glas Wein nur häuslich
einrichtete und, die Katze auf den Knien, in die
Fast-Finsternis draußen und drinnen müßig Über-
sicht und Ordnung phantasierte.
Endlich, sich in der eigenen Sprache gehen lassend, sagte er zu der Katze: »Geehrtes dämoni-

sches Tier, Riesenauge, Rohfleischesser. Hab keine Angst: niemand ist jetzt stärker als wir, niemand kann uns ein Leid tun. Vor dem Fenster strömt das feindliche Wasser, doch wir sitzen in unserem Element und haben bis heute Glück gehabt. Ich bin nicht ganz schwach, ich bin nicht ganz machtlos, und ich kann frei sein. Ich will den Erfolg und das Abenteuer, und ich möchte der Landschaft Vernunft und dem Himmel Trauer beibringen. Verstehst du das? – Und ich bin unruhig.«

Sie schauten beide in die Nacht hinaus, die Katze weit aufmerksamer als der Mensch, das Fäkalienloch unter dem erhobenen Schwanz wie einen glimmenden Blick gegen ihn gerichtet. Ein für die Gegend seltener Wind donnerte draußen und tickte auch innen im Holz des stillen Hauses. Sorger saß so lange regungslos da, bis er glaubte, mit dem Schädel das eigene Gehirn zu wiegen: eine Waage, deren Tätigkeit darin bestand, daß sie das von ihr Gewogene schwerelos machte. Ein Flattern der Nerven ging noch einmal um den Kopf herum wie etwas Flügelschlagendes unter der Haut; dann trat eine vollkommene Ruhe ein, in der sich alles mit den Worten sagen ließ: »Nacht – Fenster – Katze«; und Sorger fühlte die Kälte und den Wind von draußen als Wohltat in seinen Lungenflügeln.

Er lüpfte das Tier an den Vorderbeinen auf, so daß

es hochgestreckt dastehen mußte, und legte das Ohr an sein Maul: »Jetzt sag etwas. Hör auf, dich zu verstellen, scheinheiliger Vierbeiner, elternloses Ungeheuer, kinderloser Räuber. Bemüh dich. Jeder weiß doch, daß ihr sprechen könnt.«

Er hielt den rundlichen kleinen Tierschädel fest an sein Ohr gepreßt und streichelte unterdessen den Körper immer heftiger, bis seine Hand durch das Fell hindurch auch das Skelett liebkoste.

Die Katze rührte sich nicht und atmete kaum, die Augen in der Bedrängnis besonders kugelig und gläsern geworden, und in den Schlitzen erschien des Mannes Spiegelbild. Nach langer Zeit erst fing sie zu schnaufen an und preßte schließlich mit warmer Luft einen kurzen Jammerlaut in Sorgers Ohrmuschel, nicht im Schmerz, sondern eher in letzter Not und einer sich darin endlich ereignenden Linderung; tätschelte danach mit einer Pfote sogar ganz haustierhaft sein Gesicht.

»Absurdes Vieh«, sagte der Peiniger, »teuflisches Nachtlebewesen, sklavisch verfügbare Vergleichsmöglichkeit.«

Die Katze kratzte ihn und benutzte, als er sie nun losließ, seine Knie nur mehr als Zwischenstufe, um in den Raum wegzuspringen, wo sie sich sogleich unter den Läufer verkroch und dort, einen großen Buckel unter dem Stoff werfend, starr liegenblieb.

Sorger hatte zuerst ein Frischegefühl im Gesicht;

und erst später fing die Wunde ein wenig zu bluten an. Hinter dem geflüchteten Tier sirrten noch die Möbel. Auf dem Tisch vor ihm zitterte die braune Spitze einer Kompaßnadel, und im Nebenraum redete, sich im Bett hin und her werfend, als fände er seinen Platz nicht, der andere Mann im Schlaf. Oder war es schon ein Singen? Was gab es eigentlich zu feiern? Wie leicht verriet man sich. Wie schnell war man sprechbereit. Wie schön dagegen die Scheu der Katze. Verschweig dich, Mensch. Komm heran, Zeitalter des Verschweigens.

Neben dem Kompaß lag ein Brief für ihn aus Europa, den er noch nicht geöffnet hatte. (Welchen Rauch aufsteigen zu sehen von welchem Lande?) Und wie viele andere Versäumnisse waren geschehen, allein am heutigen Tag? Das Gefühl einer unsühnbaren Schuld spielte mehr mit ihm, als daß es ihn ergriff, und da er es nur ahnte, konnte er nicht einmal bereuen, und nichts wiedergutmachen. »Nie mehr«, sagte er: es war die Zeit der schlaftrunkenen nächtlichen Vorsätze: »An diesem Tag war es das letzte Mal, daß…« Was? Eine starke Hitze, fast ein Gestank, drückte kurz auf den Raum und den darin nur noch starrsinnig Wachenden: das Bewußtsein von unstillbarer Entbehrung und unendlicher Unfähigkeit. Er hatte kein Recht auf die technischen Gegenstände; kein Recht, auf den Fluß zu schauen; und es war erschwindelt, daß er sich jemals hatte umarmen lassen. Lauffer sang jetzt wirklich im Schlaf. »Komischer anderer, lächerliches Selbst, lachender Dritter.« Etwas stimmte nicht, seit jeher, mit ihnen allen; Fälscher waren sie, ausnahmslos. Die Nacht wurde zu einem Körper, der sich von außen gegen die Scheiben lehnte; und Sorger sah sich nun wirklich als jemand Gefährlichen: denn er wollte alles verlieren und selber verlorengehen.

Freilich kannte er diese Niemandsland-Zustände seit langem; sie wurden, wenn nicht im Schlaf, so an der frischen Luft des nächsten Tages gegenstandslos; und zudem kam jetzt die Katze wieder unter dem Teppich hervor und lief ihm, der sich vorbereitete, ins Bett zu gehen, zum Zeichen der Anhänglichkeit einige Male über den Weg. »Wie du siehst, gehe ich nun schlafen«, sagte er zu ihr hinunter; und er fügte hinzu: »Sei froh, mein Tier, daß du eine Heimat hast.« Im Sturm flog das Haus durch die Nacht, und Sorger freute sich auf das Morgenlicht. »Ich möchte eine Zeitlang mit den Tieren leben. Sie schwitzen nicht und winseln nicht über ihre Lage...«

Aber gab es nicht doch, bei allem Bedürfnis, sich zu verschweigen, die Lust an einem spontanen Ausruf, am Ausrufen überhaupt, mit dem nicht nur die Abwesenheit von Schuld bewiesen, sondern jene strahlende Unschuld wiederhergestellt würde, mit der sich dauerhaft leben ließe?

Sorger hatte nichts auszurufen, in keiner Sprache. Im Halbschlaf wurde ihm klar: wieder ein Tag vergangen, an dem er etwas aufgeschoben hatte, das bald nicht mehr aufschiebbar war. Eine Entscheidung wurde fällig, die in seiner Macht stand, oder auch nicht – jedenfalls war es an ihm, sie herbeizuführen.

Tief atmend, wobei er, ohne sich zu bewegen, sich eine Haltung annehmen sah, spürte er jetzt ein Verlangen nach einer solchen Entscheidung, eine fast empörte Erwartung und Ungeduld; und das Seltsame, für Sorger ganz Unerhörte, und im Einschlafen auch gar nicht Lächerliche an diesem Vorgang war, daß er sich dabei nicht allein sah, sondern erstmals im Leben als jemanden aus dem Volk. Er vertrat im Augenblick nicht nur die Große Zahl, sondern stand ein für deren, sie alle erst zusammenhaltenden und beseligenden Wunsch nach einer Entscheidung.

Er sah sogar momenthaft die gleichförmigen Fenstersysteme ganzer Hochhäuser-Verschachtelungen als in der Konzentration erstarrte Erwartungs-Geräte, welche auch nur zu diesem Zweck, nicht als Guck- oder Luftlöcher, in die öden Mauern eingelassen waren, und hatte, anders als sonst im Halbschlaf, keine unbewohnten Landschaften vor sich – statt dessen, ganz nah, viele vorbeitreibende, gar nicht volkstümlich wirkende kummervolle Gesichter, von denen kein einziges ihm bekannt war; doch bildeten sie insgesamt eine lebendige Vielfalt, der er angehörte.

War er überhaupt vorbereitet auf eine Entscheidung? Er wußte es nicht; und er würde es nie erfahren, wenn er sich nicht darauf einließe.

Aber was war die Entscheidung? Als Antwort sah der fast schon schlafende Sorger nur ein stummes Bild, wo er in einem kleinen, sehr hochgelegenen Raum saß und als rundschultriger, eifriger Volksbeamter wirkte, und jenseits einer großen Wasserfläche, die ihn von allem trennte, schauten die vereinigten Fensterfronten zu ihm herüber.

Eine eigenartige Wollust überkam ihn, sich anzustrengen bis zur Erschöpfung; und wenn er zu schwach wäre, sah er sich schon abseits unter einer Arkade verschwinden, die ihn in einen Zufluchtsraum, im Moment noch verschlossen, weiterführte: es ging um viel, doch um andres als Leben und Tod.

Wärme breitete sich über seinen ganzen Körper aus, und er traf auf sich selbst, in seiner locker daliegenden Innenhand. Zufrieden spürte er sein Geschlecht, ohne Erregung; zugleich ein Hungergefühl, und Geldgier. Die Katze sprang auf das Bett und legte sich ihm auf die Füße; »ein Tier im Haus«. Das Feldbett in seiner Schmalheit war gerade richtig für ihn. Lauffer lachte daneben im Schlaf; oder er selber? Der Wind draußen wurde eine Wolke. Die Indianerin, gekrümmt daliegend,

41

vergaß ihn gerade, vergaß alle Menschen, auch ihre Kinder. (Auch sie war jetzt die Richtige für ihn.)

Tagsüber durch seine Arbeit in der Regel eins werdend mit sich und der Landschaft, er »vor Ort« – das von ihm ausgesuchte Gelände vor ihm (»township« hieß sein quadratisches, dabei unbewohntes, nichts als die Wildnis einschließendes Tätigkeitsfeld), erfuhr der auf einem hohen Eisenbett schlafende Sorger nachts immer noch die Entfernung von Europa und »den Vorfahren«: nicht nur als die unvorstellbare Wegstrecke zwischen sich und einem anderen Punkt, sondern auch sich selber als einen Entfernten (wobei allein der Tatbestand der Entfernung schon Schuld war). Es gab im Schlaf keine Vorstellung dieses anderen Punkts, bloß eine nicht von ihm ablassende, alles an ihm zumindest belästigende Bewußtheit, nicht im eigenen Bett zu liegen. Schlafend ständig bewußt, gewaltsam entfernt zu sein, erlebte er, obschon Jahre nach dem Kontinentwechsel, nie einen friedlichen Schlummer unter einem häuslichen Dach; sank vielmehr (ein Moment, gegen den er sich jedesmal wehrte) gleich mit dem ersten Augenschließen und danach die ganze Nacht hindurch, klumpiger und schwerer werdend, langsam gegen einen magnetischen Horizont weg – wo sich dann was ereignete?
Aus einer Gruppe von schreienden, betrunkenen

Indianern, die auf der Flußböschung um ein Feuer standen, war einer rücklings herausgetaumelt, stürzte, eine Flasche noch in der Faust, in die glatte schnelle Strömung hinein und ging auch schon unter; doch auf seinem kurzen Fall war der Träumende für ihn eingesprungen. Er tauchte nicht mehr auf. Niemand reagierte auf sein Verschwinden.

Der Strom, aus der Vogelschau betrachtet (etwa von einem niedrig fliegenden Hubschrauber), erwies sich an seiner Oberfläche als so durchsichtig, daß darunter, wie in einem klaren Wasserkörper eingefaßt, als selbständige, deutlich abgegrenzte Masse, und solcherart erst turbulent und gewaltig wirkend, die braungelb aus der Flußtiefe pulsenden und in der ganzen Breite der Stromebene sich westwärts wälzenden Schlammwolken sichtbar wurden.

Über diese Trübe, aber doch knapp unter dem durchsichtigen Wasserspiegel, glitten, vom Ufer aus nicht zu erkennen, dunkle Baumstämme dahin, von der Strömung meist schon schwarzgeschälte Birken, kurz eingehüllt ab und zu von einer besonders hoch aufstoßenden Schlammwallung; am Gestade gut wahrnehmbar waren jedoch jene vereinzelt treibenden Krüppelfichten, welche, hinten durch ihr Wurzelwerk beschwert, mit den Kopfenden immer wieder die Oberfläche durchstießen und gleich wieder wegtauchten.

Einige Stämme, abgelenkt zu seichteren Stellen, verankerten sich mit ihren Wurzeln im Untergrund; nur noch die sich dabei wegspreizenden Enden ragten über das Wasser hinaus.

Keine Schreie mehr; der Strom wölbte sich im Morgengrauen zu dem ruhigen Golf eines weiter draußen tätigen Meeres. Manchmal krochen darauf Windwellen finster nach allen Richtungen.

Ein toter rosa Lachs wurde auf den Ufersand geschwemmt, eine schwache Farbe in der starr ausgestreckten Düsternis, über der es, ganz davon abgeschieden, einen blassen Himmel gab, mit dem farblosen, wie hintübergestürzten Mond. Der Fisch, verquer aufgequollen auf der vom Tau schlammigen Sandbank liegend, schien wie zufällig hineingespielt in die kalte Dämmerungslandschaft, als ein Gegenstück zu den ebenso geblähten, von weißen Holzzäunen umpflockten Aufwerfungen des Indianerfriedhofs im schütteren Niederwald, dem anderen, jenseitigen Grenzmal der Hütten, deren Stellwände schwarz und grau im Buschwerk des Zwischenstreifens standen, ohne Lebenszeichen, bis auf das Geratter der Stromerzeugungsmotoren; die verlassene Feuerstelle auf der Stromböschung rauchte noch.

Das Siedlungsgebiet wurde von zahllosen Pfaden gekreuzt, die aber oft nicht einmal die Hütten miteinander verbanden, sondern bloß so in eine

Baumgruppe hineinführten, oder ins Dickicht, und dort abbrachen, oder als Tunnelschlüpfe doch wieder in verschiedene Richtungen weiterliefen und vielleicht in einem Fuchslabyrinth unter der Erde endeten. Nicht nur, daß das Dorf von der Wildnis umgeben war: der Urwald und die Vorzeitlandschaft waren im ganzen erhaltengeblieben und herrschten immer noch auch innerhalb der Gemeindefläche. Das Gebiet war nie gerodet worden, und so hatte es darin nie etwas wie Fluren oder überhaupt Zivilisations-Landschaftsformen gegeben; außer an den Auflagestellen für die Behausungen war das natürliche Relief der Erdoberfläche fast nirgends verändert: selbst die breiteren Wege folgten jeder der vielen Unebenheiten des nur aus der Luft flach erscheinenden Bodens (eine »Flur« war demnach, mit dem Landstreifen, einzig die durch Aufschüttung entstandene so kurze wie breite Schotterstraße, die als gesperrtes Gebiet zu einem Armeestützpunkt in die Moorlandschaft ging). Und da die meisten Hütten über Sockeln errichtet waren, hatte sich sogar auf den bebauten Gründen, in den kleinen Mulden, Gräben und Buckeln unter den Behausungen, die ursprüngliche Erdgestalt erhalten.

Der Ruppigkeit der Urlandschaft gleichsam angepaßt, bildeten die einzelnen im Busch verstreuten Wohnstätten nirgendwo ein Gefüge untereinander; sie standen kreuz und quer, ohne Bezug zum nächsten Haus, oft weit weg vom Fahrweg und auch davon abgekehrt. Es gab an keiner Stelle einen Überblick über die Kolonie, die doch berühmt war als die einzige Ansiedlung weit und breit: jedes Gebäude tauchte so auf, als sei danach nichts mehr.

Nur oben vom Flugzeug aus wäre unversehens eine kleine Planstadt fast lieblich im Urwald am Strom erschienen, mit einem sogar rechtwinkligen Straßennetz und einer regelrechten Hauptstraße, die diagonal verlief als eine Art »broadway« – auf einmal ein idealer Ort, zivilisiert und zugleich elementar, an dem hier und da ein Messingtürgriff im Morgenlicht schimmerte und zugleich der Nebel aus dem unermeßlichen Hellbraun des Fichtennaturparks stieg.

In dieser anheimelnden, wie fruchtbaren Flußebene – die kurzen struppigen Nadelbäume hätten auch Weinstöcke sein können – fehlten freilich alle Acker- und Wiesenflächen (deren Abwesenheit dem ersten Blick unbegreiflich war) und jene eine Überlandstraße, die in den Horizont hineinführte. (Und die meisten Hütten, mit den kaputten Autos und verrosteten Elektrogeräten drumherum, verwandelten sich, aus der Höhe betrachtet, in gefledderte Abfallcontainer.)

Das Giebelholzhaus war, mit der weißen Holzkirche, das höchste Gebäude in der Gegend, und es hatte auch als einziges einen Dachboden, der von den beiden Bewohnern zeitweilig als Dunkelkammer benutzt wurde; der Giebel war ein Anhaltspunkt, denn es war leicht möglich, sich selbst innerhalb des bewohnten Gebietes zwischen Büschen und Sumpflachen zu verirren.

Sorger war früh aufgestanden und wollte sich gleich betätigen. Die Sonne schien noch nicht, aber die glatten Kiesel glänzten schon auf dem Gestadeweg, wo er stand und eine aus dem Wasser ragende nahe Sandbank zeichnete, an der mit waagrechten, wulstigen Linien aus angelagerten Blättern, Zweigstücken und Baumnadeln markiert war, wie sich der Flußspiegel ruckhaft über Nacht gesenkt hatte. Es war kalt, aber er fror nicht; jede Art Wetter belebte ihn, wenn er nur draußen in der Luft sein konnte und sich ihr aus eigener Kraft ganz aussetzte.

Er zog das Zeichnen, auch in der Arbeit, dem Fotografieren vor, weil ihm dabei erst die Landschaft in all ihren Formen begreiflich wurde; und er war jedesmal überrascht, wie viele Formen sich da zeigten, sogar in einer auf den ersten Blick ganz eintönigen Ödnis. Außerdem kam ihm jede Gegend erst näher, indem er sie – möglichst getreu und ohne die in seiner Wissenschaft üblich gewordenen Schematisierungen und Weglassungen – Linie für Linie nachzeichnete, und er konnte dann, wenn auch nur vor sich selber, mit gutem Gewissen behaupten, dagewesen zu sein.

Das Stromgebiet war, für die Jahreszeit üblich, leer, schien jedoch an diesem wie aus der Erdtiefe strahlenden Morgen um all seine Ränder neu entfacht von jener kurzen Epoche der Jahrhundertwende, da es, von Raddampfern befahren, von den Handelsgesellschaften in Stützpunkte unterteilt, von den Goldsuchertrupps durchschwärmt, sich in die allgemeine Weltgeschichte hineinerstreckt hatte: was unwiederbringlich vergangen war in die Plastiksiebe aus dem falschen »trading post«, in die von heimarbeitenden Indianern nachgeschnitzten Miniatur-Expeditionsschlitten und die von dem scharfen Wechselwetter schneller als in anderen Erdregionen verwitterten Grabinschriften, bewegte sich jetzt in dem zeitlos-bewußtlosen Strom als bewußte ewige Strömung mit; und der Betrachter spürte Begütigung und Trost, wurde heiter und hatte Lust, etwas zu schaffen.

Festes, stumpfglattes Papier des Zeichenblocks; für den Wechsel zwischen dünnen und dickeren Strichen zu einem schrägen Keil zugespitzter Zeichenstift; schönes Aufglühen der Zigarette; und die Windstille, in welcher der Rauch nicht wegflog, sondern sich langsam zu Boden senkte.

Die ersten Farben in der Landschaft wie eigene Gegenstände: ein Schottersteinrot, ein Benzinfaßblau, ein Lanzettenblattgelb, ein Birkenstammweiß. Im Gras standen geplatzte kleine Boviste.

Woanders wuchs ein haariger Mohnstengel, dessen Blüte nicht rot, sondern wunderbar stoffgelb war. Die Akazien hatten wie überall dunkle Dornen, waren nur Sträucher statt Baumschäfte. Die prallroten Ebereschenbeeren, innen im Fruchtfleisch schon eisiger als Schneebälle, brannten noch lange in der Handfläche nach. Das Ziegelrot der Weidenzweige, wie für einen Bucheinband. Braun auch das an einen Schuppen genagelte zottelige Bärenfell.

Die ersten Bewegungen waren die Dunstschwaden an der Stromoberfläche, nach Osten ziehend. Aus den Löchern in der Lehmböschung flogen ein paar Uferschwalben heraus und kehrten schnell wieder um. Schwarze Köter wühlten im Strandabfall, die sich dann aber als riesige Raben in die Luft hoben und mit schwirrenden Flügeln über dem Mann kreisten; im Abdrehen stießen sie heisere, rufähnliche Schreie aus; einer kam zurück und überflog noch einmal völlig lautlos den Dastehenden, so niedrig, daß sein Flügelschlag wie ein motorbetriebener Riemen tönte.

Die über Nacht angeschwemmten Fische waren fast aufgefressen; von den ausgepickten Augen gab es noch hier und da Abdrücke im weichen Sand. Ein wildernder Hund, der am Ufer entlangstreunte, war silbrig grau und hatte einen von den bläulichen Augen abwärts weißen Kopf: ein richtiges Gesicht. Er riß eine tote Möwe am Boden hin und her und zerknackte sie – der einzige Laut weit und breit – zwischen den seitlichen Zähnen. Die angeketteten Hunde der Siedlung kamen aus ihren Erdgruben, liefen, soweit sie konnten, auseinander, und winselten und jaulten, noch mit bezähmter Heftigkeit.

Die Geräusche eines üblichen Morgenverkehrs setzten dann ein; doch es fuhr kein Auto irgendwo auf festem Grund, sondern über den Gebüschen erschienen zahlreiche kleine Flugzeuge, und andere kleine Flugzeuge erdröhnten in dem Raum jenseits des Flusses. »Du mußt wissen, daß sich noch nie ein Mensch in diesem Leben so weitgehend gelassen hat, daß er sich nicht noch mehr hätte lassen können.«

Wen verehren? War Verehren nicht sein Bedürfnis? Wollte er nicht abhängig sein? Wo gab es den, für den er etwas tun konnte? Und wo war der gerade?

Die nicht nur plattgefahrenen, sondern in den Weg ganz eingedrückten Bierdosen zeigten sich als Belegstücke nicht mehr zu steigernder Gewalt und ihm unbekannter, doch jetzt nachgefühlter Verzweiflung, über einen unheilbaren Mangel und eine steinerne Abwesenheit, gegen die nun alle Hunde des Dorfes in Todeswut anheulten.

Der Kollege Lauffer, schon wieder mit seiner Vieltaschenweste und den Schaftstiefeln uniformiert, lief im Hintergrund vor einem wehenden Netz hin und her, das über der Giebelhaustür angebracht war, und spielte mit sich selber Basketball, und der zurückkehrende Sorger begann zu laufen, fing dem Freund den Ball weg und spielte schon mit.

Die Sonne ging auf, sehr weit weg im Tiefland, langsam und leicht schräg, und verdunkelte die Landschaft mit tiefen Schlagschatten: eine Dunkelheit, eher Düsternis, welche den ganzen Tag hindurch mit den kaum schrumpfenden, auch kaum vorrückenden Schattengräben zwischen Bäumen und Sträuchern stehenblieb; – und auf der Stelle, von dem Augenblick an, da Sorger sich in das Spiel mischte, verwandelte sich die Zeit, wie auf einer offenen Bühne, in einen dämmrig-sonnigen Raum, ohne besonderes Vorkommnis, ohne Tag- und Nachtwechsel, und ohne Eigengefühl: wo er weder Tätiger war noch Müßiggänger, weder Eingreifender noch Zeuge.

Gerade hatte er noch seinen Gegenspieler gerempelt, den Ball gerochen, im fremden Schweiß und dann im eigenen geatmet, war auch einmal um die Mitte gepackt und von dem starken Lauffer kurzweg zur Seite gestellt worden – und schon flogen nur mehr vereinzelte Schwalben, von ihrem Schwarm verlassen, weißbäuchig, dicker und viel kleiner als anderswo, von ihren Uferlöchern bis weit über die Mitte des Stroms hinaus, schnellten von da wie von einer geheimen Grenze zurück und wiederholten diese lang-kurz-Zweitakt-Bewegung den ganzen Tag und an allen folgenden Tagen, manchmal gekreuzt von einem hellweißen Adler, der den Flußlauf entlangstrich und mit dem die Schwalben dann eine Strecke mitzogen.

In diesem Zeitraum war ständige Gegenwart, ständige Allerwelt, ständige Bewohntheit. Die Gegenwart war eine Allgegenwärtigkeit, wo die einst geliebten Toten mitatmeten und die entferntesten Lieben in einem zugänglichen Nebenraum geborgen und guter Dinge waren; die Allerwelt war eine Fremde, in der es keinen Flucht- und Heimkehrzwang mehr gab, aber auch nicht die zwanghafte Teilnahme an den Gewohnheiten der Alteingesessenen; und die Bewohntheit war eine Haus- und Werkstatthaftigkeit des ganzen Landstrichs, wo persönliches Abgesondertsein ohne die Gewohnheitszwänge durch Innenräume möglich war.

Die Herbstsonne war schwach, oder heiß, oder schimmerte auf einem Fleck weit weg in der Wasserebene – war jedenfalls mehr als nur eine gleichgültige, übliche Lichtquelle im Rücken oder vor den Augen. Und die Blätter fielen auf Teller, die auf gedeckten Tischen im Freien standen, oder trieben in hellen Scharen den Fluß hinab; oder waren gar keine Blätter und flogen als Vögel vom Gras in die Sträucher zurück, blieben in einem dahinwirbelnden Schock jäh stehen und rannten als Erdtiere in eine ganz andere Richtung, waren Froschköpfe zwischen der gelben Laubschicht in den schwärzlichen Moorlachen, oder Wild, das weit weg ins Tiefland flüchtete und sich im Schußknall überschlug; oder waren dabei schließlich doch alles nur Blätter gewesen (so wie die Vogelkörper, die aus den Bäumen fielen, nur im Wind absplitternde Rinde gewesen waren).

In dieser Zeit spielten sich solche Vorgänge nicht bloß ab als die absonderlichen Verwechslungen von einem für sich, der die Einzelheiten zufällig nicht auseinanderhielt, sondern waren zwingende Winke an den Vorgängen selber, die, wie im ganzen die Jahreszeit in einen großen Kreis (den »Jahreskreis«), sich im einzelnen, für gleich welchen Betrachter, aus einsinnigen zeitlichen Abläufen in vielfältige räumliche Ereignisse verwandeln konnten: Verwechslungen nur auf den ersten Blick, doch danach als Verwandlungen draußen willkommen, wo in einem tiefen Schauraum die Pflanzen mit den Tieren und auch den Menschen, und das Abwesende mit dem dort Vorfallenden kraft des Naturschauspiels »immer wieder einmalig« zusammentrafen. Die Landschaft, Sorgers besondere Geschichte mit dem Geschehen des nördlichen Herbstes sich einverwandelnd, wurde von dieser menschlichen Geschichte wieder gekehrt in ein zeitliches Gewölbe, wo der selbstvergessene Mann, ohne Schicksal, aber auch ohne Mangelgefühl (überhaupt von Wechselgefühlen erlöst), auch noch da war.

Es gab in der Landschaft sogar einen bestimmten Ort (den Sorger täglich zeichnete), wo diese verheißungsvolle Weltgeschichte, in der nichts Gewaltsames oder auch nur Jähes mehr vorkam, sich übersichtlich vor seinen Augen abspielte. Dieser Ort war nicht von vornherein auffällig als Stelle oder Fleck; er bildete sich erst heraus mit der andauernden Mühe des Zeichnens, und wurde dadurch beschreibbar.

Es handelte sich um den Mittelgrund eines recht gewöhnlichen Landschaftsausschnittes, von Sorger ausgewählt wegen einer Erdbeben-Bruchlinie im Vordergrund und eines Lößterrassenfragments weit hinten. Dieses Mittelstück, das keine einzige besondere Oberflächenform aufwies, nicht einmal eine kleine Sumpfmulde, und das er nur in einer Art Füllzwang mitskizzierte, wurde mit der Zeit absichtslos ein ganz eigener Landschaftsteil. Es war eine von Baumwerk oder Unterholz fast freie, glatte Steppenfläche mit ein paar Hütten und einem schnurgeraden Weg davor, im Hintergelände begrenzt durch den schütteren Urwaldkörper, der aber dennoch so nah war, daß er Einblick zuließ, während der Vordergrund mit den vielen einzeln wahrnehmbaren Kleinformen sich für die Augen des Zeichnenden von der Wildnis wie ein schrebergartenhafter Saum abgrenzte: zwischen diesen beiden Bereichen, die sich deutlich von der Landschaft abhoben, erschien der formlose Mittelstreifen, der doch mit ihnen in derselben Ebene verlief, wie eingesenkt, als eine im Lauf der Wochen sich herausbildende Flur, und schließlich als Beispiel für ein menschliches Tal in einem möglichen ewigen Frieden.

Die den herbstlich-sonnigen Bezirk querenden Indianer fuhren da tagtäglich entweder nach links zu ihrer Arbeit oder nach rechts zurück nach Hause, so wie ihre Kinder morgens da einzeln zur Schule gingen und mittags, zu Gruppen geworden, nach Hause: hier spielten sich ihre Lebensvorgänge ohne die sonstigen Zwischenfälle ab; der den Schauplatz von der einen Seite betrat, ergänzte jeweils den, der ihn am anderen Ende gerade verließ; die sich auf der Strecke trafen, ein wenig zusammenstanden und wieder auseinandergingen, waren nur zu Gehöften unterwegs, immer im gemeinsamen Dorfbereich, und die heulenden Hunderudel hinten auf den Lastwagen waren ihre spazierengeführten Haustiere.

Anders als im Supermarkt, im Gemeinschaftshaus oder in der Bar zeigten die in diesem Mittelgrund unablässig sich Vorbeibewegenden das Bild einer unverwüstlichen, lebhaften, oft sogar heiter ausgelassenen Gemeinde; und der dadurch von vielen Zwangsvorstellungen befreite Sorger wußte, daß er diesem Bild auch glauben konnte. Bis dahin waren die Indianer in der Tat zuweilen eine feindliche Rasse gewesen, und er eine unerwünschte Person auf ihrem Land, das zudem nur nach außenhin zu seiner westlichen Welt gehörte. »Großes indianisches Volk« – das hatte er wohl einmal für sich denken können, aber jetzt erst, als »der Eindringling« und überhaupt »der andere« endlich weggedacht, wagte er Teilnahme, oder war einfach selbstverständlich dabei; und siehe: sie hatten mit ihren Parolen und Flüchen gegen die »Weißen« ihn zumindest nur zuletzt gemeint.

In all den vergangenen Monaten war Sorger von ihnen übersehen worden. Sie schauten geradeaus, wenn er an ihnen vorbeiging, rempelten ihn vielleicht auch kurz und blickten sich dann wohl nach ihm um, aber eher wie nach einem Hindernis auf dem Weg, von dem man nach dem Anprall wissen will, um was für eine Art Ding es sich da gehandelt hat: jetzt, sie als Zusammengehörige in einem Dorfverband begreifend, bemerkte er, daß er dadurch für sie überhaupt erst wahrnehmbar wurde, und er erfuhr, daß es seine Sache gewesen wäre, von ihnen nicht mißachtet zu werden. Sie wandten nun zwar die Köpfe in der Vorbeibewegung nie eigens zu ihm herüber, wie er da mit seinen Geräten stand und vertieft war, und trotzdem, seiner vorigen Beschränkung enthoben, war er sich ihrer Nähe zu ihm sicher: er störte sie nicht mehr, und sie erwiesen ihm sogar, bloß indem sie sich so ausgelassen zeigten, eine Aufmerksamkeit, welche für sich schon freundlich war.

Sorger kam es vor, als sähe er an diesem Schauplatz auch die Kinder der Indianer zum ersten Mal beim Spielen; als erlebte er überhaupt erstmals im hohen Norden auch Kinder; und als seien selbst die Erwachsenen so vertraut geworden, daß sie, was auch immer sie vor ihm anfingen – auch wenn sie nur in den Autos vorbeirasten –, gleichsam für ihn zu spielen schienen. *Er* wurde unbefangen – und schon spielten *sie*.

Abends setzte er sich dann wirklich in die Bar zwischen sie, die dichtgedrängt und wie in einem Kino-Halbdunkel hintereinanderhockten. Er schaute niemanden besonders an (erfaßte immer mehrere Gestalten auf einmal), und auch sie beachteten ihn nicht ausdrücklich; doch ihre Bewegungen um seinen Platz herum waren jedesmal achtsam, fast tänzerisch. Vielleicht näherte sich auch einmal ein drohendes Gesicht – und konnte sofort als zufriedenes sich wieder zurückziehen, weil die Drohung, nicht aber das Gesicht, gleich im ersten Antwortblick übersehen wurde. (Setzte der Betrunkene die Drohhaltung fort, weil er den Blick eines anderen gar nicht mehr wahrnehmen wollte, so pflegte eine meist ältere Indianerin diesen starr Dastehenden abzudrehen zu einem langen, traurigen Besänftigungstanz, von dem er dann nicht zurückkehrte.)

Sorger gehörte nicht zu den Indianern als einem Stamm, aber zu ihnen jeweils im Barraum, in der

Siedlung oder wo immer in der Region; er hatte nicht ihre Hautfarbe vergessen, fühlte zwischen ihnen nur die eigene nicht mehr heraus. Er konnte sich manchmal sogar vorstellen, in einem ihrer Familienklans geborgen, für immer dazubleiben; oder vielmehr wirkte der Herbstraum als eine natürliche Tagtraumvorstellung und überstieg Sorgers persönliche Vorstellungswelt: als stellte die Natur selber dem nur noch zufrieden anwesenden Mann eine entsprechende überpersönliche Geschichte vor. Er würde mit seiner Familie im Dorfverband leben, zu dem naturgemäß auch Kirche und Schule gehörten, und durch seine Arbeit der Gemeinde sogar nützlich werden. Kirche, Schule, Familie, Dorf: das bedeuteten wieder ganz frische Lebensmöglichkeiten, und Sorger erfuhr den Rauch, welcher tagsüber von den Hütten im Mittelgrund aufstieg, als eine Neuigkeit; er hatte ihn wohl schon gesehen, so wie jetzt aber erst einmal – nur wo? nur wann? Ohne wo, ohne wann: es war eine Erleichterung, nicht mehr denken zu müssen, daß die Leute hier nichts als Verlorene in einem verlassenen Landstrich seien, »wo es nichts gab«. Es war doch alles da.

Er traf die Indianerin nun ohne Heimlichkeit, stellte sie auch seinem Kollegen Lauffer vor, obwohl er sonst seine Beziehungen zu Frauen für sich behielt: »Das ist meine Freundin«; und von da an kam sie sogar manchmal ins Giebelhaus, mit den

Kindern, oder am Abend als Dritte zum Karten-
spiel. Sorger hatte geradezu ein Verlangen, sich
mit ihr zu zeigen, wußte freilich nicht, wem. Früher hatte er sich von dem Blick ihrer besonderen
Augen mit den in der dunklen Iris kaum sichtbaren schwarzen Pupillen nie gemeint gefühlt; jetzt
vertraute er ihr – und empfing ihren Blick (der so
war wie immer). Er war bei ihr gerade so abwesend, daß er doch ständig mit ihr verbunden blieb,
und hatte kein Schuldgefühl mehr dabei, nur eine
ihm endlich ganz eigentümliche, nicht mehr befremdende Lust. (Es war, als erlebte er in ihr erst
die rechte Erdenschwere; und eines Nachts lagen
sie wie auf einem Hochplateau, das dann auf einmal zu klein für sie war: sie wuchsen überlebens-
groß und wurden, ungläubig vor Lust, die Welt
füreinander.)
Vor Zeiten hatte sich Sorger eine Fähigkeit zum
Glück zugeschrieben. Es zeigte sich als brüder-
licher Leichtsinn, der sich manchen auch mitteilte.
Inzwischen gab es kein Verlangen mehr nach
Glückszuständen; er vermied sie sogar wie eine
Krankheit. Er war nur ab und zu überrascht gewesen, wie gut andere gerade mit ihm froh werden
konnten: das hatte ihm dann kurz die Gewißheit
gegeben, auch gegen die Zeit ein richtiges Leben
zu führen, und zugleich immer wieder schuldbe-
wußt gemacht, weil er nicht für Fortdauer sorgte.
Nun aber versprach er keine Zukunft mehr, war

nur noch der Anlaß; und in einem Bild sah er, wie die Frau und er sich voreinander verneigen und ihrer Wege gehen würden: wie sie jetzt zusammen sein konnten, war es eine Vereinigung für immer.

Abschiednehmend bewegte er sich auch mühelos in der anderen Sprache, ohne freilich mit besonderem Slang oder Tonfall ein Heimatrecht vorzutäuschen. Er verlor beim Reden das Bewußtsein der eigenen Stimme; wie er als Wesen gleichsam in der herbstlichen Landschaft verschmerzt war, so schien sein Reden mit dem der anderen jetzt mitzulauten. Er hatte überhaupt ein neues Vergnügen an fremden Sprachen und wollte noch welche dazulernen. Er sagte: »In meinem Ursprungsland war nie auch nur die Vorstellung möglich, zu dem Land und den Leuten zu gehören. Es gab nicht einmal eine Land-und-Leute-Vorstellung. Und gerade die Wildnis hier verhilft mir zu der Idee, was ein Dorf sein kann? Warum zeigt sich erst diese Fremde als eine Bleibemöglichkeit?«

Auch Lauffer, dem sonst die Zeit oft lang war nach seinem Europa – er ging kindlich früh zu Bett, »wie im Internat, um an zu Hause zu denken«, und schlief lange –, wirtschaftete jetzt fast bäuerlich in der Gegend, als seinem geologischen Garten.

Er stand oft vor dem Freund auf und bastelte aus Flaschen, Brettern und Metallstreifen Geräte, mit denen er die Wind- und Wasserabtragung am

Fluß, Hangbewegungen (unterirdisches »Krie-
chen« oder »Fließen«) und die Frosthebungen des
Bodens messen konnte.

Lauffer, der Hangforscher, vergaß schließlich
auch, sich in seine steife Berufskleidung einzu-
schnüren, in der er wohl forscherhaft, aber auch
seltsam unfruchtbar aussah, und verwandelte
sich, mit einem großkarierten offenen Flanell-
hemd, den breiten Hosenträgern und der oben
weiten, am Schienbein sich verengenden hellen
Leinenhose, in eine der hier üblichen behäbigen
Landschaftsfiguren.

Was er baute, waren vor allem verschiedene soge-
nannte Sandfallen, waagrechte mit Fächern nebeneinander (womit er den Sandtransport in der
Horizontale maß), und senkrechte mit mehreren
Etagen, zum Messen der Transportleistung des
Windes zwischen Boden und Höhe. Er benützte
auch eine »Sandfallen-Flasche«, welche er in die
Erde versteckte, so daß nur eine im Flaschenhals
befestigte Sandauffang-Vorrichtung, mit der Öff-
nung zum daherstreichenden Bodenwind gedreht,
ganz unauffällig aus dem Erdreich hervorschaute.
Seinen zahlreichen Schuttauffang-Kästen, die er
jeweils am Fuß von Hängen anbrachte, setzte der
gewissenhafte Lauffer, zur Vermeidung von seitlichen Gerölleinmischungen, die die wahre Hang-
bewegung verfälscht hätten, überall lange Leit-
planken vor. Und um das von ihm so genannte

»Hakenschlagen« der Gesteine im Hangunter-
grund zu bestimmen, versenkte er Bleistreifen
senkrecht in Bodenlöcher, die er zuvor mit einer
den Streifen ganz gleichgestaltigen Sonde da hin-
eingetrieben hatte, und beobachtete dann die
Schuttwanderungen, indem er seine Streifen vor-
sichtig wieder freigrub und ihre Schräge maß. Mit
all diesen Gestellen stattete er das Gelände aus
und streifte wartend darin herum wie ein Trap-
per.

Sein Sondergebiet wurden jedoch die Erdbereiche
unter den auf Pfählen ruhenden Hütten: die Bo-
denkleinformen dort, dem Wettereinfluß von
oben entzogen, waren anders als die ursprünglich
verwandten, inzwischen aber zerstörten Formen
außerhalb des Pfahlbereichs.

Diese winzige Wahrnehmung hatte ihn, als Entdeckung, doch aufgeregt: eine nicht wie sonst von
der Zivilisation beseitigte, sondern gerade durch
sie erst vor fast jeder Zeitspur bewahrte kleine Na-
turform. Umgekehrt waren in einer südamerika-
nischen Wüste, wo es nie regnete oder taute und
es seit einem Jahrhundert auch keinen Wind mehr
gab, menschliche Fußabdrücke und Pferdehuf-
spuren aus einer lang vergangenen Zeit von der
Natur ganz unberührt geblieben. (Die Felsen in jener Wüste hatten sich durch die Verwitterung so
dunkel gefärbt, daß die von ihnen ausgehende
Hitzerückstrahlung jeden Wind abhielt.) Lauffer

wollte in einer Abhandlung die beiden Erscheinungen miteinander vergleichen: »Es wird keine Untersuchung werden«, sagte er, »eher eine Bilderbeschreibung.«

Sorger sagte: »Mir geht es so, daß ich manchmal bei dem Versuch, mir Alter und Entstehung verschiedenartiger Formen in ein und derselben Landschaft und ihr Verhältnis zueinander vorzustellen, gerade durch die schwindelerregende Vielfältigkeit in solch einem einzigen weitgespannten Vorstellungsbild, wenn mir dieses dann endlich gelungen ist, zu phantasieren anfange. In diesen Augenblicken, ohne ein Philosoph zu sein, weiß ich doch, daß ich ganz natürlich philosophiere.«

Lauffer: »Das sind dann freilich weder die vom Fach verlangten Gedanken zur Sache, noch könnten wir mitreden in einer Fach-Philosophie. Ich für meine Person erfreue mich dann nur, und nur für mich, einer momentanen philosophischen Phantasie. Meine Wissenschaft gibt mir Wachträume, wie sie andere nicht einmal im Schlafen haben.«

Sorger: »Und du hättest mir dann einiges zu erzählen.«

Lauffer: »Von der Landschaft?«

Sorger: »Von der Landschaft und von dir.«

Leidenschaft zu sammeln; Lust an der Ordnung (auch an einem rechteckigen Tisch); Genuß am bloßen Wohnen; wiederentdeckte Lernfreude;

Vergnügen am Körper: dessen Bedürfnissen, auch nur Tätigkeiten. Daß nichts mehr zu wollen ist: kein Unglück. Die Erfüllung: nichts Übernatürliches. Nicht weggedacht, doch ohne Eigensinn. Die Empfindung eines stetig warmen Kopfes: ohne persönliche Gedanken und auf keinen Schluß zu und von niemandem vorgedacht atemlos (»hilf mir«) und dann tief atmend (»wem dankbar sein?«) nur noch *mit*denkend. Mitdenkend mit der Erde die Erde denkend als denkende Welt ohne Ende. Die mit meinem Kreislauf erst kreisende Welt mit mir, dem endlich Gedachten, als nur noch *Gedachtem*. Kein Blut mehr, kein Herzschlag mehr, keine Menschenzeit mehr: nur noch die mächtig pulsende und vom eigenen Puls erzitternde Alldurchsichtigkeit. Kein Jahrhundert mehr, nur die Jahreszeit. Vom Liegen ins Stehen; aus dem Stand ins Springen und Laufen. Rede- und Wettstreitlust. Unlust zu spielen, doch Freude, einen anderen spielen zu sehen. Heftiger Wind, ohne daß ein Blatt von den Birken fällt. Eine Zeit Stille: dann ein leichter anderer Wind, und die Blätter fallen in Schwärmen zu Boden. Auf einem toten Stromarm eine gedrängte Schar Möwen, sich zur Seite treiben lassend mit der Langsamkeit einer Wolke. Weiße Rabenkotspritzer auf den Fischkadavern, in denen rote Weidenschäfte stecken. Leere Patronenhülsen im Kies, Schüsse woanders. Über einem Stuhl im Haus hängt ein

Hemd, wo im obersten Knopfspalt die tiefste-
hende Sonne durchschimmert. Das im Schatten
eines vorbeifliegenden Vogels (oder Flugzeugs)
zusammenzuckende Zimmer. »Seid gegrüßt, ihr
lächelnden Toten«: aber nur das eigene Gedächtnis lächelt im Kopf hinter der Stirn, zu schwach,
die Toten zurückzuholen, die als schiefe Säcke
kurz auftauchen. Du, der Fluß. Du, das Haus.
(Ausrufe.) Im offenen Fensterrahmen steht draußen der von der Arbeit heimgekehrte Freund. In
den Pfützen drehen sich die Blätter im Kreis. Auch
die Grashalme erscheinen als abgefallene Blätter.

Der Vortag der Abreise Sorgers aus der nördlichen
Tiefebene war zugleich das jährliche Erinnerungs-
datum für die Entdeckung des Kontinents, und ein
Feiertag. Es war fast Mitte Oktober, und am Morgen klickte das Wasser des Stroms an den schmalen Eiskanten, welche unten aus der Uferböschung
herauswuchsen; auf dem Eis lagen einzelne ge-
sträubte Schneekristalle; die vielen kleinen
Schneeschollen auf der Wasserfläche waren die
noch immer sich treibenlassenden Möwen.
Neben einer aufgegebenen, schon zusammenge-
brochenen Hütte stand eine Birke, an deren Stamm
ein übriggebliebenes Korbballnetz von einem hef-
tigen Wind über die eiserne Fassung geworfen worden war. In der kleingerillten Stromlandschaft
bewegten sich dunkle Windstellen wie Treibsand-

bänke unter dem Wasser. Schattenflecken an weißen Baumstämmen erinnerten Sorger später oft an
die Katze, die, den Kopf in das Fell gesteckt, auf
dem Tisch vor dem Fenster lag, so vertraut, wie nur
ein Haustier vertraut sein kann.

Lauffer schlief noch, den Kopf ähnlich vergraben
wie das Tier; er war mitten in der Nacht aufgestanden und draußen im Wohnraum herumge-
wandert. Bei der Rückkehr danach gefragt, hatte
er nur mit schweren dicken Lippen (die den im
Bett aufsitzenden Sorger an seinen Bruder denken
ließen) und ohne Zunge dahergeredet, dabei mit
jedem Laut die Augen kurz schließend (nicht nur
mit den Wimpern zuckend), wie es ihm unterlief,
wenn er log: da erst hatte Sorger gemerkt, daß der
Freund schlafwandelte.

Er sah jetzt aus, als werde er noch lange schlafen;
und in seinen Sandfallen vermehrte unterdessen
der Wind die Ernte. Im Blick auf ihn und das Tier
am Fenster fand Sorger seinen (so unbekümmert
vergessenen) Sinn für die vergehende Zeit wieder,
und er entdeckte zugleich den Mangel an dem so
eigengewichtslosen Dasein der letzten Tage, welche ihm vergangen waren wie schon »nach seiner
Zeit«: in all den auf einem Mittelgrund ohne Geburt und Tod sich gewaltlos abspielenden Bildern
fehlte ihm doch – nicht das Gefühl seiner selbst,
sondern das Bewußtsein seiner selbst als Gefühl
einer Form: und die erfuhr er erst jetzt, da er bei

dem Anblick des eingekrümmt Liegenden sich des eigenen Schauens bewußt wurde, in dem Oval seiner die bloße Bildhaftigkeit erst durchdringenden sterblichen Augen – Bewußtsein war das Gefühl dieser Form, und das Gefühl der Form war Milde. – Nein, er wollte nicht nichts sein.

Sorger war mit der Katze, die ihm folgte und »an diesem Tag einiges zu wissen schien«, ins Freie gegangen. Am Strand waren Schwemmholzprügel zu Kreisen gelegt oder zufällig so angetrieben worden, und er stellte sich vor, daß die Indianer sich mit solchen Kreisen vielleicht gegen den Feiertag und das aus seinem Anlaß zu Gedenkende abgrenzen wollten, und die ganze Ansiedlung erschien ihm da als ein geheimer Bannkreis, in dem er als Eingeweihter seinen letzten Rundgang machte.

Die Telegraphenmasten der Armeestraße waren tatsächlich hier und da mit Totemzeichen bemalt. Die Reifenspuren im Wegschlamm konnten Ornamente einer geheimen indianischen Bilderschrift sein; und die ausladenden Elchgeweihe oben auf den niedrigen Holzaborten verhöhnten vielleicht die Fremden, die ohne Recht hier eingedrungen waren. »Ja, wir haben geöffnet«: diese sonst so gesamtkontinentale Formel an der Supermarkttür hatte an dem Staats-Feiertag eine andere, sonderbare Bedeutung, und in dem Polizeiwagen, der vorbeipreschte (Sorger hatte noch nie einen in dieser Gegend erlebt), paradierten die ver-

schlossenen, anonymen Gesichter einer Besat-
zungsmacht, gegen die das Volk nur seine Hunde
bellen ließ. »Kreisgang und Gedankenspiele«,
sagte Sorger zu der hinter ihm herlaufenden und
jeweils mit ihm im Abstand stehenbleibenden
Katze.

Auch die Kinder waren im Schulhaus; er sah sie in
dem flachen, langgestreckten Gebäude hinter dem
getönten Glas sitzen, doch nichts von ihren Gesichtern, nur viele runde, tiefschwarze, ihm auf
einmal sehr liebe Haarkuppen. Auf einer Flöte
wurde schrill ein amerikanisches Weihnachtslied
– nicht probiert, sondern wie absichtlich falsch ge-
spielt. Ein Kind trat ans Fenster und ließ vor dem
zu ihm hinaufschauenden Sorger eine Kaublase
knallen. In die Gemeinschaftsbaracke abbiegend,
blätterte er dort, wie er es oft getan hatte, in dem
angeketteten Steckbriefalbum: viele Gesuchte waren erfahren, im Freien zu leben, und tätowiert mit
»Born to lose«.

Sich zum Friedhof hinwendend: Fast alle hier waren jung gestorben; der Erdboden bucklig von den
vielen abgefallenen Zapfenkugeln und gefleckt
von Gruppen weißer Pilze. In die Holzkirche ein-
kehrend und da ausruhend: Blätter von draußen
zwischen die Stühle geweht, bis oben über die
Bänke der auf einen Tisch gebreiteten Leihbiblio-
thek; auf dem Harmonium ein aufgeschlagenes
Notenheft; aus dem anschließenden Raum, der

die Wohnung des Geistlichen war, Frühstücks-
speckschwaden. In der nächsten Kehre erschienen
zwischen den Bäumen die dort zum Trocknen auf-
gehängten, allesamt dunklen Kleidungsstücke der
Indianer, und hinter den Hüttenfenstern die Umrisse der Bewohner, die so klein waren, daß sie
auch als Stehende nur bis zum Hals sichtbar wurden: so ging er nicht nur von ihnen weg, sondern
es gelang ihm, von ihnen Abschied zu nehmen.
Der Wind, so stark, daß er ihm, als er ging, den
Rock aufknöpfte, war warm, mit eisigen Stößen
dazwischen, die im Mund schon nach Schnee
schmeckten. Die Katze hielt manchmal an und
verfolgte mit dem Kopf die Schatten in den Häusern; als er sie aufhob, buckelte sie sich und blies
ihm kalte Luft ins Gesicht: sie ertrug es nicht, im
Freien getragen zu werden.
Mit dem Tier hinter sich den Kreis am Stromge-
stade wieder schließend (zuletzt war aus dem
energischen Gehen ein Laufen geworden), dachte
Sorger: Ich habe heute zum ersten Mal die Höfe
um die Behausungen herum gesehen und entdeckt, daß die Siedlung eine Ringstraße hat.
Der Stromspiegel war in der letzten Zeit so gesunken, daß sich zwischen den Sandbänken viele
Teichinseln gebildet hatten, wo das Wasser rundum wirbelte wie von einem darin gefangenen
Fisch: »auch hier der Kreis«. Obwohl niemand zu
sehen war, kam jetzt das Echo menschlicher Stim-

men von überall aus der Tiefe der Flußlandschaft herauf (mit dem Schrillen einer einzelnen Uferschwalbe, während die unbemannten Boote im Uferkies schabten) – und Sorger sah die Dorfbevölkerung gleichsam Kopf an Kopf an der Flußkrümmung versammelt als »Große Wasserfamilie«: der Strombereich, von der Quelle bis zur Mündung, war »nirgendwoanders der Rede wert außer hier«; hier war überhaupt »der einzige nennenswerte Ort auf der Welt« – wie gleichsam zu lesen war in den Schriftzeilen, die das abgesunkene Wasser in den Sand untereinandergesetzt hatte (der Saum des anderen Ufers lag schon »jenseits der letzten Grenze«).

Es waren indianische Laute, die aus der menschenleeren Stromrinne widerhallten, und doch glaubte Sorger (ohne daß er ein einziges Wort verstand), seine eigene Sprache zu hören, ja die besondere Mundart der Gegend, die die Heimat seiner Vorfahren gewesen war. Er hockte sich hin und schaute in die Augen der Katze, die daraufhin vor ihm zurückwich; und als er sie zu streicheln versuchte, schien ihr das hier außer Haus so zuwider zu sein, daß sie weglief, mit Fluchtbewegungen fast wie ein Hund.

Zu seinen Füßen war der getrocknete Uferschlamm weithin als ein Netzwerk von fast regelmäßigen Vielecken (mit meist sechs Kanten) auseinandergerissen. In der Betrachtung der Risse begannen diese allmählich auf ihn zurückzuwirken, zerstückten ihn aber nicht wie den Boden, sondern schlossen all seine Zellen (jetzt erst nachfühlbare Leere), zu einem harmonischen Ganzen zusammen: von der gespaltenen Erdoberfläche flog den Mann etwas an, das seinen Körper stark, warm und schwer machte. Bewegungslos dastehend und über das Muster hinschauend, stellte er sich vor, ein Empfänger zu sein, nicht einer Nachricht oder Botschaft, sondern einer zweifachen und auf den zwei verschiedengestellten Ebenen seines Gesichts zu empfangenden Kraft: an der Stirn spürte er auch wirklich den verqueren Knochen verschwinden, bloß dadurch, daß er nichts anderes mehr im Sinn hatte, als dieses Hindernis der Luft auszusetzen; und die Fläche von den Augenhöhlen abwärts, fast im rechten Winkel zum Erdboden, bekam wie neu die Züge eines Gesichts, mit Menschenaugen und einem Menschenmund; jedes für sich, doch nicht durch Bewußtsein voneinander getrennt; und er empfand die Wölbungen der gesenkten Lider tatsächlich als Empfangsschirme. Der sich immer tiefer neigende Kopf bedeutete dabei nicht Selbstaufgabe, sondern Entschiedenheit: »Ich bin es, der bestimmt.« Aufschauend wäre er nun auf alles gefaßt gewesen; und mit jedem Blick, auch in der Leere, anderen Blicken begegnet; hätte diese Blicke überhaupt erst bewirkt.

Das Rascheln des Stroms jetzt – und die Büsche rauschten wieder so auffällig sanft, wie am Sommertag seiner Ankunft als das erste Zeichen der Flußlandschaft.

Der sich vom Boden erhebende Mensch war nicht verzückt, nur beruhigt. Er erwartete keine Erleuchtungen mehr, sondern Gleichmaß und Dauer. »Wann wird mein Gesicht fertiggezeichnet sein?« Er konnte sagen, daß er sich des Lebens freute, mit seinem Tod einverstanden war und die Welt liebte; und er konnte bemerken, wie im Einklang damit der Strom langsamer floß, die Grasbüschel flimmerten und die von der Sonne gewärmten Benzinfässer tönten. Er sah neben sich ein einzelnes gelbes Weidenblatt an einem leuchtend roten Zweig und wußte, daß er auch nach seinem Tod, nach dem Tod aller Menschen, in der Tiefe dieser Landschaft aufscheinen und jedem Ding, um das sich jetzt sein Blick legte, die Kontur geben würde; und er empfand darüber eine Glückseligkeit, die ihn über alle Baumwipfel hob: wobei sein Gesicht als Maske zurückblieb, »die das Glück darstellte«. (Und es gab dann sogar eine Art Hoffnung: als das Gefühl, etwas zu wissen.)

Sorger, »der Held«, den Moment nutzend, ließ den Stein liegen, den er als ein Andenken an die Landschaft hatte einstecken wollen, und rannte durch das als Wiese sich dehnende Gras zum Giebelholzhaus, wo das davor sitzende gefleckte Tier ihn wieder einmal vergessen hatte. Warum hatte Lauffer einmal gesagt, daß er »wohl länger hier leben, aber zum Sterben nach Europa zurückkehren« wollte?

Dieser begrüßte jetzt den ins Haus Tretenden mit einem wie schurkischen Blick der Überlegenheit: er blieb an dem Ort, den der andere verließ. Er hatte weiße Wollsocken an, ein ausgebauschtes Hemd, und aus der hinteren Hosentasche hingen ihm ein kariertes Taschentuch und Fingerhandschuhe – wie einem echten Einheimischen. Alle Vorstellungen flohen auseinander, und es verdroß Sorger, irgendwie Abschied zu nehmen: so wie manche einen Ort verließen, während die übrigen noch schliefen, war es so nicht auch möglich, einen Ort bewußtlos, als Schlafender, zu verlassen? Und auf einmal *die* Vorstellung: »Wir feiern heute abend meinen Abschied, und im Morgengrauen, wenn du noch im Bett liegst, nehme ich das Postflugzeug.«

Es wurde beschlossen, den Tag über zusammen zu arbeiten; das hieß, der eine lud den anderen förmlich zur Teilnahme an seiner Tätigkeit ein, und schließlich einigten sie sich darauf, gemeinsam Luftaufnahmen zu machen.

Die einmotorige Mietmaschine flog so niedrig über dem Flußgebiet, daß sogar die Umrisse kleiner dunkler Eislinsen unter der Oberflächenvegetation sichtbar wurden. Obwohl Sorger die Gegend schon oft aus der Höhe beobachtet hatte, nahm sie erst jetzt, da er sie verlassen sollte, eine besondere Gestalt an. Er erblickte die im großen so formlose Ebene als einen vielgliedrigen Körper mit einem unverwechselbaren, einmaligen, ihm sich jetzt zuneigenden Gesicht. Dieses Gesicht erschien reich, unheimlich und überraschend: reich nicht bloß in der Vielheit der Formen, sondern auch in deren Eindruck von Unerschöpflichkeit; unheimlich in der Beinah-Namenlosigkeit der unzählbaren, immer seltsam an eine Menschenwelt erinnernden (oder sie vorwegnehmenden) und wie nach Namen schreienden Einzelformen; – und das Überraschende in dem Gesicht war bei jedem Blick wieder die Ausbreitung des darin sich wälzenden Stroms: die Vorstellung stimmte nie – die Breite wurde jedesmal ein neues Ereignis, auch wenn man nur kurz weggeschaut hatte; sie war wirklich unvorstellbar.

Was den das Fotografieren bald vergessenden Sorger den Strom als den Zug eines Gesichts sehen ließ, war die leibhaftige Dankbarkeit und sogar Bewunderung, die er nun für seinen Arbeitsbereich der letzten Monate empfinden konnte. *Pferdehufseen, Quelltöpfe, Trogtäler, Lavafladen* oder *Gletschermilch* aus *Gletschergärten*: hier über »seiner« Landschaft verstand er solch übliche Formenbezeichnungen, welche ihm doch so oft als unzulässige Verkindlichungen erschienen waren. Wie er hier ein Gesicht erlebte, so war es auch denkmöglich, daß andere Forscher, in ihrer Gegend, gleichsam fromme Traumhäuser sahen, mit *Säulen, Toren, Treppen, Kanzeln* und *Türmen*, ausgestattet mit *Schüsseln, Näpfen, Kellen* und *Opferkesseln*, gelegen zum Beispiel in einem *Trompetentälchen*, das vielleicht gesäumt wurde von *Hügelschwärmen*; und er hatte nun Lust, den Gattungsbezeichnungen jedes einzelnen Gebildes noch einen freundlichen Eigennamen beizugeben – denn die wenigen Namen auf der Landkarte stammten entweder aus der kurzen Goldsucher-Geschichte der Region (»Trugbildschlucht«, »Fiaskosee«, »Erfrorener-Fuß-Hügel«, »Halber-Dollar-Bach«, »Bluff-Insel«), oder es gab bloße Zahlen als Namen, wie den »Sechs-Meilen-See« vor dem »Neun-Meilen-See« hinter dem »Achtzig-Meilen-Sumpf«. Wie Vorbilder waren da die paar indianischen Ortsbezeichnungen: die »Großen Verrückten Berge« im Norden der »Kleinen Verrückten Berge«, oder der »Große Unbekannte Bach«, der die »Kleine Windige Schlucht« durchlief und in einem namenlosen Sumpf verlorenging.

Obwohl der Strom selbst im Sommer unzugänglich kalt war, hatte Sorger auf einmal ein Bild, wie er darin schwamm, untertauchte und selig badete. Hatten vorzeiten die Flüsse nicht auch Götter verkörpert? »Schönes Wasser«, sagte er, und merkte dann, daß er den Strom gerade getauft hatte. (Und die abgeschnittenen Mäanderarme tanzten unten wie Girlanden.)

Nie hätte er geglaubt, diese Landschaft, überhaupt Landschaften, lieben zu können – und zugleich mit der überraschenden Zuneigung zu dem Strom fühlte er jetzt die eigene Geschichte: daß sie nicht abgeschlossen war, wie er es sich von seinen Alpträumen oder auch nur von Meinungen hatte vormachen lassen, sondern mit der Langmut des strömenden Wassers weiterging. Wie ein Freudenschuß weckte ihn, vor dem Reichtum der Landschaft, das Bewußtsein, selber vollständig reich zu sein – und drängte ihn, sofort und immerzu davon abzugeben: sonst müßte er ersticken.

Sein nächster Gedanke war, daß er nun die lange geplante Abhandlung »Über Räume« würde meistern können, und er sagte zu Lauffer, dem der Pilot gerade die Instrumente erklärte, nachdem zuvor Lauffer dem Piloten die Luftbildkamera erklärt hatte: »Ich möchte dich nachher zu einem Telefongespräch nach Europa einladen.«

Das Gemeinschaftstelefon des Ortes befand sich in einem Flugzeughangar jenseits des Rollfeldes; dem gewölbten Schuppen war in einer hinteren Ecke eine fensterlose Blockhütte eingebaut, wo, wie in einem stetig bewohnten Raum, ein Tisch mit einer Leselampe, ein mit Wolfsfellen bedecktes Bett, ein Bücherregal und ein kleiner Eisenofen standen (es dauerte nach der Anmeldung eines Gesprächs immer lange, bis es zu einer Verbindung kam). In dieser Wohnnische hing das Telefon als etwas deutlich Öffentliches an einer der beiden durch den Hangar gebildeten Blechwände; der Schlüssel zu dem Gelaß wurde ausgehändigt im Supermarkt am anderen Ende der Ortschaft.

Sorger war anfangs öfter mit dem Jeep hierher gefahren, auch weil er gern in der dunklen Kabine am Tisch saß und wartete. In dem Moment, bevor es dann auf der endlich für ihn frei gewordenen Leitung weit weg in Übersee klingelte, setzte jedesmal das Satellitenrauschen ein, und damit das Bild der ozeanischen Entfernung. Dieses kurze Geräusch versetzte den sich auf das Gespräch Vorbereitenden unvermittelt in eine namenlose Erregung, aus welcher »der an diesem Ende« dann »den am anderen Ende« mit seinem ersten Wort wirklich »anrief«. Nachher war aber, noch mitten im Reden, oft nichts als Zerstreutheit: die andere Stimme, so klar sie auch kam, schien sich doch im Reden immer mehr zu entfernen, und zudem gab es neben ihr nie ein Raumgeräusch (Musik oder Hundebellen oder einfach noch eine Stimme aus dem Hintergrund); der Anrufer sah sich als Ausgesperrten vor dem Telefonseil, die eigene Stimme als Nachklang im Ohr; und das Taumelgefühl beim Auflegen hieß »Unwirklichkeit«.

So hatte Sorger, den doch der seltsame Raum immer mehr anzog, sich mit der Zeit angewöhnt, nur noch Lauffer hinzubegleiten und mit ihm wartend Wein zu trinken und Schach zu spielen. Es war sogar ein gemeinsamer Brauch geworden, daß Sorger den Freund zum Telefonieren aufforderte, worauf dieser ihn zum Mitkommen und Zuhören einlud.

In Europa war es schon lange Tag, während sie hier in dem kleinen Gestell in dem kleinen Hangar in der sich erstreckenden Nacht saßen. Das einzige fremde Geräusch war ein gelegentliches Tuckern im Innern des Apparats, das aber jemand anderem galt; in einem anderen »township«; in einem anders numerierten Planquadrat der Wildnis.

Sorger hörte dann gar nicht auf die Worte des am Telefon versunken fragenden oder antwortenden oder erzählenden Lauffer, sah ihn nur in die Ecke geklemmt an dem Gerät hängen und ganz Sprecher oder ganz Zuhörer sein: das fast schüchterne Von-Mann-zu-Mann-Gebaren war der Freund dann los und deutete an, wer er war.

Diese letzte Nacht in dem »Acht-Meilen-Dorf« (so weit nördlich lag es vom Polarkreis) wurde für Sorger abenteuerlich, obwohl nichts Besonderes sich ereignete; es meldeten sich eher Gedanken, die schon lange nebenbei gedacht worden waren und nun deutlicher werden mußten; und sie betrafen eine Pflicht – keine versäumte, sondern eine allmählich fälliggewordene; und weil deren Befolgung ihn zu noch unvorstellbaren Handlungen herausfordern würde, erlebte er sich, ohne bestimmte Bilder davon, in der ersten Nacht eines Abenteuers.

Sorger, der zuweilen Lust hatte, mit Eßbarem zu hantieren, bereitete, auch für den Freund und die Indianerin, die Abendmahlzeit. Danach saßen sie zu dritt um den Tisch und spielten Karten, aus einer neuen, frisch riechenden Packung, die die Frau als Abschiedsgeschenk gebracht hatte. Die Karten zeigten Raben, Adler, Wölfe und Füchse; und auf dem Joker bildeten alle diese Tiere einen großen Kreis um ein Indianergesicht in der Mitte.

Es gab in dem Giebelhaus einen Lüster mit dünnen, länglichen Glaszapfen, unter dessen Strahlen jeder in seinen friedlich-hellen Kartenfächer schaute. Die Türen zu allen Räumen standen offen, auch zu der Dunkelkammer oben im Dachgeschoß, und im ganzen Gebäude waren die Lichter angeschaltet. Die Katze saß mit starren Augen auf Sorgers gepacktem Koffer, ruckte mit den Ohren und legte ab und zu den Schwanz von der einen auf die andere Seite; zeigte ein wenig von den Krallen, als seien es Fingernägel; zog die Vorderpfoten unter sich und schlief schließlich ein.

Lauffers Kinn leuchtete. Er hatte sich ein weißes Seidenhemd angezogen und ein schwarzes Samtgilet mit vergoldeten Knöpfen; um die Oberarme gebundene Schleifen bauschten die Seide auf; und zum ersten Mal hier trug er die aus Europa mitgebrachten, unter dem Tisch manchmal knarrenden Halbschuhe, in denen bis jetzt nur die Spanner gesteckt hatten. Er hatte sich die Haare aus den Nasenlöchern geschnitten und saß hochaufgerichtet da, die Karten nie werfend, sondern sie mit der ausgestreckten Hand jeweils hinlegend. Er freute sich arglos, wenn er gewann, und verlor mit grimmiger Würde. In seiner inneren Beherrschtheit und äußeren Pracht wirkte er vollkommen.

Die Indianerin, obwohl sie sich an einem Tisch ohne Anfang und Ende befanden, war doch die, von der der Kreis gleichsam ausging. Sie war nicht links oder rechts von den Männern, sondern diese saßen zu ihren beiden Seiten; sie war es, die einlud. Ihre Bewegungen beim Spiel glichen den Gesten, mit denen sie in ihrem Beruf die Medikamente austeilte: ein beiläufiges, flinkes, fortwährendes, vielhändiges Weggeben (wobei das Einsammeln des ihr Zustehenden jeweils von den anderen als eine Art Dank erwiesen wurde). Sie hatte sich so geschminkt und geschmückt (um den Hals ein Amulett aus Jade), daß sie keine Indianerin mehr war, sondern eine dunkle, gefährliche Maschine in strahlender Menschengestalt; sobald sie die menschlichen Augen auf das Kartenblatt senkte, starrte aus der schwarz umrandeten leeren

Lidwölbung das Auge der Maschine und hielt den Raum im Blick.

»Ja« (und mit diesem einzigen Wort nahm Sorger sein lange nur so Dahingedachtes endlich als eine Verpflichtung an): Lauffer war in manchen Momenten tatsächlich sein Freund gewesen, und mit der Frau hatte er sich eben noch in seinem und ihrem wahren, zum Schreien und Greifen wahren Körper zusammengefunden – aber welche Anmaßung von ihm, dem einzelnen, dem wieder einmal Abreisenden, dem »Fremdling« (Name eines Speipilzes), in die Gemeinschaft dieser beiden mit dem Gebaren eines »Freundes« oder »Geliebten« sich einzudrängen.

Sorger erlebte den Bund der zwei nicht in der Voraussicht, sondern jetzt, und er sah jetzt vor sich das bereits vollendete Liebespaar: den prächtigen Erforscher der Erdformen und das göttliche Biest.

Niemand fragte, warum er lachte: sie wußten es auch. Und der nächste Augenblick versetzte den dabei selbstverständlich weiterspielenden Sorger mitten in ein gerade sich ereignendes Geschehen der Vorzeit: In dem Strom befand sich eine leicht ansteigende schmale Insel, mit der Eigenart, daß sie in ihrer Mitte zu einer kleinen, annähernd runden Senke abfiel, aus welcher der Nadelwald, überall sonst eher schütter, dicht und finster herauswuchs. Wahrscheinlich hatte sich dieser Kessel aus einem unterirdischen Hohlraum gebildet, in den nun Sorger, während die eben noch sich in Augenhöhe mit ihm befindlichen beiden Mitspieler deutlich zum oberen Rand seines Blickfelds hinaufrückten, mit einem Schlag und doch zugleich traumhaft langsam absank. Schon wuchs Moos in der Grube, und zwischen den Bäumen richteten sich dunkle Bären auf.

Sorger war wie nach einem Triumph ins Freie gegangen. Er bewegte sich im Schein der Hausfenster; es gab draußen kein anderes Licht, nicht einmal einen Sternpunkt. Zuerst sah er noch die beiden am Tisch sitzen; dann wuchsen schon die Gebüschruten in das sich entfernende helle Viereck hinein: als würden die Scheiben mit Dreck verschmiert. »Bitte, vergeßt mich.« Vor sich sah er so wenig – manchmal einen helleren Steinumriß –, daß er sich mit Füßen und Ellbogen vortasten mußte. Nicht einmal ein Plätschern; nur zuweilen ein leises Schaben.

Dann zeichnete nichts mehr sich einzeln im Schwarzen ab; keine Bilder mehr, endlich. Alle noch voneinander sich abhebenden Flächen, in welcher Farbe auch immer (gab es nicht auch »Hochzeitsfarben«?), hatten ihn gerade noch an Tote erinnert: als starrte er die darin Ausgelöschten an. Jetzt sah er, wo in dem Dunkel der Strom verlief: dickes Anthrazit auf dünnerem Schwarz; und diese Formen, wie ein von ihm verehrter Maler gesagt hatte, waren nun seine »Darsteller«, doch ohne »seine Verlegenheit« und ohne »seine Scham«; und wirkten dadurch als seine »Performer«.

Sorgers Wissenschaft verlangte für die ordnungsgemäße Beschreibung eines Arbeitsgebietes, sobald dort alle fachlichen Einzelmethoden angewendet waren, noch eine besondere letzte Technik, die »Zusammenschau« genannt wurde; ein solches Zusammensehen ereignete sich angesichts der schwarz-in-schwarz spielenden arktischen Nacht, freilich ungeplant und ohne die geforderte Nüchternheit: eine andere Ruhe wurde in ihm bestimmend (er erlebte förmlich Mitte und Tiefe) und griff zugleich über ihn hinaus; erhitzte seine Handflächen (sanft sich spreizende Finger), wölbte seine Fußballen, ließ ihn seine Zähne spüren und verwandelte ihn als Ganzes in einen Körper, der zu einem Organ für alle Sinne wurde und sich vollkommen nach außen richtete: den in den Dunkelheits-Streifen sich selber Zuschauenden überwältigte die in dem einzigen Wort »schön« zu fassende Ruhe eines Wilden.

In der Finsternis nicht nur den Kopf wendend, sondern locker in den Schultern und Hüften sich um die eigene Achse drehend, erkannte der, daß sein Leben gefährlich werden mußte. Er sah die Gefahren nicht, er ahnte sie; er konnte sie nicht aufsuchen, sie waren zwangsläufig; und er ahnte zwangsläufiges Alleinsein und fortgesetztes Entferntsein; und all diese Ahnungen, sich überstürzend, ohne eine klare Voraussicht zu bilden, ergaben zusammen ein Gefühl, so abenteuerlich, als hätte er sich soeben ohne Umkehrmöglichkeit von allen seinen Lieben entfernt; und von dem Rausch ergriffen, für immer allein zu sein, frohlockte er laut: »Niemand weiß, wo ich bin. Niemand weiß, wo ich bin!« (Und für einen Augenblick erschien der Mond und wurde angefaucht.)

Da wimmerte es neben ihm im Finstern wie von einem ausgesetzten Kind. Oder schnaubte ein großes Tier?

Es war aber nur das Räuspern eines ziemlich nah, doch spürbar außer Reichweite stehenden Menschen, der so seine Harmlosigkeit zeigen wollte; und es kam zwischen den beiden einander Unsichtbaren zu folgendem Gespräch: »Hallo, Fremder. Wie fühlst du dich heute abend?« Sorger: »Danke, fein. Und wie geht es Ihnen?« Der Sprecher: »Kurzer Herbst. Run out of fuel.« Sorger: »Liegt nicht ein Haufen Holz unten am Fluß?« Der Sprecher: »Guter Fluß. Schöner Sommer. Langer Winter. Könnte der Herr einen Vierteldollar entbehren?« (Eine Hand, warm wie die eigene, nahm das Geldstück.) Der Sprecher: »Gott segne dich, Mann. Grünes Nordlicht, gelb an den Spitzen. Von wo kommst du?« Sorger: »Von Europa.« Der Sprecher: »Ich werde dir etwas erzählen: Schau nie zu lang in den Schnee. Du kannst davon blind werden. Das ist mir selber passiert. Eine andere Geschichte?« Sorger: »Nein, danke.« Der Sprecher: »Du warst willkommen, mein Lieber. Iß nicht zuviel Fisch. Hab noch eine gute Zeit hier. Paß auf dich auf. Freu dich an dir selber. Und hab eine nette Reise. Touch home soon.«

Sorger hörte den Menschen, von dem er nicht wußte, ob er ein Indianer war oder ein Weißer, ein Mann oder eine Frau, sich in das Dunkel entfernen und war dann kreuz und quer, des Wegs, der Richtung und des eigenen Körpers sicher, zu dem Dorf und dem Giebelhaus zurückgerannt, wo die zwei anderen am Fenster standen, ohne sich nach ihm umzuschauen: als hätten sie gar nicht bemerkt, daß er fort gewesen war; oder als sei er tatsächlich schon so sehr vergessen, daß er sie jetzt anhauchen müßte. – Über der Schulter der Indianerin starrten ihm zwei gläserne Fuchsaugen entgegen.

Nichts mehr geredet; von der glatten Frau mit ihren beiden Händen ein letztes Mal an sich gezogen, mit einem kleinen Lachen zurückgestoßen und von einem erstaunten Blick gestreift worden, wobei ihr ganzes Gesicht sich zu vergrößern schien, ohne einzelne Regung; den neben sie zum Abschied aufgestellten Freund dafür in der Umarmung aufgehoben; und endlich sich selber weg in den Nebenraum in der auf einmal (doch nur sehr kurz) eiskalten Nacht pflichtbewußt (»das Postflugzeug«, usw.) schlafengelegt.

Sorger wartete beim Schlafen immerzu auf jemanden, der dann nicht kam. Einmal wachte er auf und sah die Katze in der Zimmerecke kauern: »Kleines, monumentales Tier.« Ruhig sie ansprechend, rief er sie, und sie näherte sich und legte ihm den Kopf unters Kinn: sie wollte leben, und er wollte von seinen besten Freunden vergessen werden und zugrunde gehen? Unversehens sprach er das Tier mit »Kind« an, liebte es (seine Arme wurden stark vor Liebe) und nannte es als das Geliebte bei seiner Farbe: »Schwarzweißes!«

Im Traum wurde Sorgers Gehirn zu einer Weltkarte, und er erwachte als Erdhaufen mit vielen Steinen darin. Im Morgengrauen lag Lauffer im leergeglaubten Bett, eine bösartige Grimasse mit geschlossenen Augen. Mit dem Koffer vorbei an der abwesend starrenden Katze, die kein Zeichen mehr gab, ihn zu kennen. Er ließ viele Sachen im Haus zurück. »Weg mit mir.«

Im Postflugzeug, wo er hinten mit ein paar gleich wieder einnickenden Indianern saß, sah Sorger bei Sonnenaufgang aus dem grenzenlosen Nadelbaumurwald ein einzelnes heitergelbes Birkenlaub leuchten, dachte an die Indianerin (»Da unten ist eine liebe Frau«) und richtete sich auf vor unbestimmter Neugier, aus der dann ein Hungergefühl wurde, nicht nach etwas Handgreiflichem, sondern überhaupt nach dem Kommenden: er erlebte, ohne Bilder davon, »die Zukunft«; und in einer solchen bilderlosen, warmen Phantasie sah er den Piloten sich umdrehen und las von dessen Lippen die Worte: »Wir müssen zurück.«

Der Grund zur Umkehr war der erste Schneesturm des Winters, auf dem Hochplateau hinter den südlichen Bergketten, wo die größere Ansiedlung lag (früher ein Goldgräberzentrum), von der aus man mit Düsenmaschinen weiterkonnte. Schon in der Rückflugschleife, die der Pilot zog, verzerrte sich unten die Landschaft: Das Rund eines Moorsees wurde ein hypnotisches Starren, mäandernde kleine Flüsse wurden überwuchert von Sumpfgrün, in dem nur hier und da noch Wasser aufblinkte, und die langen Abflußrinnen auf den Hügelabhängen, von der Frühjahrsschmelze als lange, gerade Streifen in den Schotter gegraben, bogen sich weg nach allen Richtungen. Das Flugzeug würde erst am folgenden Morgen wieder starten können.

Sorger war nach der Landung am Rand des kleinen Rollfelds stehengeblieben. Er ragte da auf mit dem Koffer wie in einem Zerrspiegelkabinett, mit dicken kurzen Beinen und einem bis über die Ohren verlängerten Hals. Das Dorf schien in seiner Abwesenheit, die doch nicht mehr als die Zeit eines Rundflugs gedauert hatte, sich als Ganzes in einen »Betrieb« verwandelt zu haben, wo Fremde keinen Zutritt haben. Er setzte sich auf den Koffer und lachte, als Dorf, sich, Sorger, aus. In eine solche Unwirklichkeit war er noch nie zurückgekehrt. Wie es vermeiden, gesehen zu werden? Er zuckte im Aufstehen, Weggehen, Richtungwechseln in einem fort mit den Achseln. Kein Spielzug mehr möglich: die unechten Farben der bloßen Fassaden; das entzauberte Wasser des falschen Stroms; und durch diese allgemeine, sich jetzt dreist und offen aufspielende Fadenscheinigkeit zickzackte an der Stelle des Gesichts das Grinsen des dummen Betrogenen.

Und dieser war gefährlich in seinem Nicht-wissen-Wohin; nicht als Angreifer, sondern als sich anbietendes Opfer.

Vor dem sich unschlüssig bewegenden Sorger ging auf dem schmalen Weg ein Mensch wie ohne Alter daher, ebenso langsam wie er; nicht versunken, aber auch nichts betrachtend – so daß die Langsamkeit seines Gangs allmählich als etwas Gemeines wirkte. Er schaute sich nicht um, zeigte nur immer wieder ein bißchen von seinem Profil, ohne das Auge, wie manchmal Hunde im Vorbeilaufen. Endlich trat er zur Seite, zog eine am Handgelenk befestigte Reifenkette aus der Tasche und kam, das schwere Ding mit der Faust raffend, gerade auf »mich!« zu.

Wie ohne Alter, so war der Mann auch ohne

Rasse. Die Augen hell, ohne eine Mitte, wo noch ein Blick zu suchen gewesen wäre. Er verzog wohl den Mund zur Seite, sooft er in den Beinen einknickte, aber er lächelte nicht. Als er (»wirklich!«) mit der Kette ausholte, hatte keiner von den beiden mehr ein Gesicht, die ganze Welt verzog sich in diesem Augenblick und wurde tragikomisch gesichtslos.

»Lieber Bruder.« Der Betrunkene durchschlug mit der Kette den Koffer, der sofort auseinanderplatzte, und fiel dann ohnmächtig darüber.

Sorger hatte den Körper heruntergewälzt und war, seine Sachen unter dem Arm, schnurstracks zu dem in irdischer Schönheit ihn grüßenden Giebelhaus gegangen; er war jetzt so wütend und haßte alle Menschen so sehr, daß er alle Bewegungen in Geraden vollführte. Die Tür war verschlossen, und er setzte sich stracks auf die Holzstapfen davor. Ein fallendes Blatt berührte ihn am Hinterkopf wie eine Pfote, aber die Katze war drinnen im Haus und strich durch die verlassenen Räume, ab und zu zerstreut eine Spielfigur andeutend, ganz mit den eigenen Reflexen beschäftigt, die ihr die Zeit vertrieben; indes der Mann draußen auf den Stufen gedemütigt wurde von dem unfreiwilligen Müßiggang – wobei der an ein Badekabinenbrett erinnernde Fußabstreifer zu seinen Füßen und der daneben liegende Ball noch als Spottbeigabe zum Schimpf erschienen.

So hatte ihn auch der Angriff nicht betroffen, sondern eher gekränkt; es war keine Tätlichkeit gewesen, sondern eine Mißachtung seiner Person und seiner Sachen – als habe eine Stimme laut gehöhnt: »Du und deine Fotos. Du und deine Zeichnungen. Du und deine ›Abhandlung‹.« Jetzt erst schlug Sorger zurück, mit der Faust in die Luft. Es gab keinen Hohen Norden mehr, nur noch das Wetter, das kalt und grau war wie seit jeher für einen Müßiggänger, der in dem Raum unter den Hütten, statt »Lauffers ruhende kleine Erdformen«, bloß rostendes Gerümpel sah; – während in der Zwischenzeit seine Arbeit, von der er geglaubt hatte, er allein wüßte ihr Geheimnis, von jemand beliebigem erledigt wurde, so nebenbei mit einem unter vielen Simultanhandgriffen. Als das Wesen die Kette zum Schlag hob, war Sorger momentlang tot gewesen; jetzt lebte er wieder, doch die Formlosigkeit ließ nicht nach: in dem Unmaß jeden Augenblicks pulste schon wieder der nächste Formlosigkeitspunkt – wie in einem bösartigen Schmerz erschien er sich punkthaft und grenzenlos: als Punkt elend schwer und als Unmaß elend gewichtslos. Die Indianerin war wieder die »andere Rasse« und konnte, bei allen möglichen Zwischenspielen, am Ende nur seine Vernichtung wollen. – »Und daß du, Lauffer, die anderen belügst (redete der in seiner Unförmigkeit schmählustige Sorger), kommt daher, daß dich ihre Gesellschaft, gleich welcher Art, tief unlustig macht – du dich andererseits aber niemandem zeigen magst: weil du wohl ein liebenswürdiger, herzensguter, dich jeder Kreatur erbarmender, doch zuerst und zuletzt unlustiger Geselle bist.«

Dabei wurde der zornige Redner sich endlich seiner bewußt als einer Ungestalt mit einem zu kleinen Atemschlitz irgendwo, blickte auf und sah die Wasserfläche, als beobachte sie ihn. Viel zu ruhig war diese ebene Erde – und Sorger erwartete jetzt den Ausbruch; hatte sogar das Bedürfnis, augenblicklich eine Gebirgsbildung zu erleben, oder wenigstens einen vom Fels platzenden Stein. Er sprang auf und trat den Ball gegen die Hauswand, so heftig, daß dieser im Abprall an seinem Ohr vorbeisirrte; spielte dann weiter, ohne Atem zu holen, bis die Kieselsteine vor ihm wie Blumen leuchteten und er als Alleinspielender sich unheimlich wurde.

Innehaltend bemerkte er die niedrigen, nach hinten gestaffelten Wolken über dem Wasser. Sie waren fahlhell, unten nicht abgeflacht wie sonst, sondern gerundet, und standen unbewegt. Ein Windstoß kam aus der Tiefe der Landschaft, und auf einmal fielen dicke Schneeschwaden, am Horizont noch dunkel wirrend wie ein Heuschreckenschwarm, aus den Wolken, nicht aus allen zugleich, sondern in schnellen Abständen aus einer nach der anderen, eigene Körper, die sich aus den Wolkenkörpern lösten und herabstaubten gleich einer Serie von Lawinen, bis zuletzt im Vordergrund ein kurzer, aber kräftiger weißer Schwall mit einem trockenen Rasseln auch das Haus und den davor stehenden Mann überschüttete, während über dem ganzen Stromgebiet schon keine einzige Flocke mehr fiel.

Gleich danach begann, in der Windstille, unter dem einförmig grauen Himmel, ein dichter, gleichmäßiger, langsamer Schneefall, der die Lippen kitzelte und den Bereich um das Haus zu einem Hofraum machte. Helle Freude! Lieblicher Schweiß! Der gerade noch atembehinderte Mensch rannte in die wiedergewonnene Luft hinaus, drehte als ein Lebensbündel mehrere Runden ums Haus herum und schrie wie in der ewigen Kinderzeit. Bald kam auch der liebenswerte Kollege (schon von weitem in der Buschebene zu sehen), wunderte sich nicht wenig, und so vergingen, in einer neuen, traurigen, formvollendeten Freundlichkeit, die Stunden bis zum nächsten Tag, an dem Valentin Sorger mit einem anderen Koffer aus dem namenlosen, schon winterlich dämmrigen Landstrich (darin jedoch deutlich die Augenpaare Lauffers und der Indianerin) in die Welt der Namen zurückflog. In der Universitätsstadt an der Westküste des Kontinents, wo er seit ein paar Jahren hauptsächlich lebte, gab es eine

sehr breite, vor allem von Tankstellen und Ein-
kaufszentren gesäumte Straße, die »Northern
Light Boulevard« hieß.

2. Das Raumverbot

Sorgers Haus lag mit ähnlichen kleinen Gebäuden in einem Kiefernwald, auf einem flachen Küstenstreifen des Pazifischen Ozeans. Zwischen dem Meer und den Häusern gab es keine Straße mehr, nur Sträucher und niedere, grasbewachsene Dünen. Die Straßen, welche den Wald teilten, führten auf das Meer im rechten Winkel zu und endeten vor den Dünen als Sackgassen; von dort aus schienen alle Häuser schon tief im Waldinnern zu stehen, jedes mit einer eigenen Zufahrt, die jeweils in verschlungenen Bögen um die Bäume herumging. Der Boden war sandig, und es wuchs darauf, steppenhaft hoch neben den kleinen dunkelbraunen Kiefern, eine geschlossene lichtgelbe Strandgrasflur. Einige Dünenzüge waren, vom Wind versetzt, so weit in den Wald vorgedrungen, daß sie hier und da helle Dämme bildeten, auf denen sich neues Gras ansiedelte, während die Baumstämme, noch im alten Boden verwurzelt, oft nur mit einem Teil des verdorrenden Astwerks daraus hervorschauten; durch die Bewachsung waren aber im Lauf der Zeit all diese Dünen zum Stillstand gekommen und, als die einzigen Erhebungen in dem Areal, Spielorte für die Kinder geworden, ebenso wie die seltsame, dicht und hoch aufschießende Waldsteppe, die kaum gemäht werden konnte, weil überall die Bäume standen. Die Häuser, obwohl jedes von ihnen zumindest ein anderes in Blickweite hatte, wirkten durch den sie allseits umgebenden Wald wie Einsiedlerhütten; sie waren zwar mit einem hellen rauhen Verputz beworfen, erwiesen sich beim Dagegenklopfen jedoch als Holzbauten, wegen der andauernden Erdbebengefahr; ein anliegender, leicht erhöhter Küstenteil war vor einem Jahrzehnt bei einem starken Beben mitsamt den daraufgebauten Stuckvillen ins Meer abgerutscht und bildete jetzt, mit seinen Terrassenstufen und den schon wieder von Pflanzenwerk überwucherten Querrissen, einen unbesiedelten »Erdbebenpark«.

Im Flugzeug war der Himmel noch lange groß gewesen. Erwärmt von dem Nachgefühl der Freundschaft mit den Zurückgebliebenen, sah Sorger sich mit diesen wie eingeprägt in das Dreieck des arktischen Giebelfeldes und hatte gleich nach dem Abflug angefangen, im stillen sich selber zu erzählen: »Im letzten Sommer und Herbst war ich im Hohen Norden.« An der Westküste war eine andere Zeitzone (zwei Stunden später), und er kam in der Dunkelheit an. Eben noch hatte er in dem verlassenen Strom den trüben Schlamm sich wälzen sehen; war unterwegs gewesen in der Gemeinschaft der vielen, die sich nicht als Reisende auf einem großen Flug befanden, sondern wie er bloß von verschiedenen Maschinen aufgelüpft und wieder abgesetzt worden waren; hatte beim Landen, während sich das Flugzeug aus der Höhe der beschneiten Gebirgskette über ein in deutlichen Stufen absteigendes Hügelland auf die breite, von Kanälen schimmernde Küstenebene senkte, die im Ozeandunst untergehende Sonne erblickt – und schon ging er auf dem künstlichen Boden einer Flughafenhalle an den Rückseiten kleiner Fernsehgeräte vorbei, die eine Einheit bildeten mit den eiförmigen Stühlen und den in den Eiformen kauernden Zuschauern; und obwohl er schon so lange hier lebte, sah er erst bei dieser Rückkehr in die »Unteren Regionen« (die Bezeichnung der Siedler im Norden für das übrige Bundesgebiet) des wie selbstverwalteten Kontinents den Nachdruck eines Staates, und das grell erleuchtete Flughafengebäude erschien ihm (auch wenn keine Soldaten zu sehen waren) als Militärreservation.

Es unterliefen ihm zwei unwillkürliche Blicke: Einmal suchte er, obwohl doch niemand von seiner Ankunft wissen konnte, unter den am Ausgang Wartenden »das bekannte Gesicht« – und dann schaute er sich nach dem Mann mit den zu kurzen Hosen und den weißen, steifledernen Schuhen um, welcher am Morgen mit ihm gemeinsam das Postflugzeug genommen und sich bei jedem Umsteigen wieder in derselben Maschine befunden hatte; ohne miteinander zu reden, waren sie doch von Mal zu Mal stumm belustigt gewesen, und Sorger gefiel der Gedanke, daß sie beide von jetzt an, und immer zufällig, bis ans Ende der Tage, dabei niemals ein Wort wechselnd, die gleichen Wege haben würden; und er bewegte sich eigens langsam zum Ausgang, damit man (wer auch immer) ihn vielleicht noch sehen und einholen könnte.

Er ließ das Taxi dann vor der Siedlung halten und ging die letzte Strecke zu Fuß, gelegentlich im Schein der Hausleuchten, die durch die Bäume auf die sonst dunkle Straße her blitzten; die Häuser im Wald wirkten still und zugleich, durch die Lichter überall, festlich. Er ging auf dem ungewohnten Asphalt, einig mit der Vorstellung von sich als einer von Anonymität strahlenden Figur in den zwischen Ankunfts- und Abflugsebenen kreuz und quer strebenden, wie er jeder Herkunft ledigen Weltbürgerscharen, und weil es für ihn, der aus einer anderen Zeitzone kam, noch nicht Nacht war (und auch weil er die paar Flugstunden meist im hellen Licht über den Wolken verbracht hatte), spürte er das Tageslicht auf den Augen und blinzelte durch die Dunkelheit, als sei diese künstlich.

Er holte im Nachbarhaus seine Post ab, legte dort den schon schlafenden Kindern die mitgebrachten Spielzeugschlitten neben das Bett und zog sich, draußen von einigen Hunden verbellt und in einem kurzen Blick zum Himmel von der seltsam unterschiedslosen Gestalt des zunehmenden Mondes hier und vor ein paar Stunden (im Morgengrauen) über der anderen, so weit entfernten Erdgegend betroffen, zum Briefelesen in seine wie überall auch als Arbeitsraum eingerichtete Wohnstatt zurück.

Es waren viele Briefe mit vielen Nachrichten; die meisten freundlich; oder sachlich ohne Drohung oder Feindseligkeit. Einige sahen in Gedanken an ihn Landschaften. Man wollte ihn, der »zu weit weg« war, näher haben.

Alle Vorhänge im Haus waren geschlossen. Er saß im Mantel, der noch zugeknöpft war. In einem hohen, geräumigen Glasschrank lagen Haufen von Gesteinsbrocken, als seien sie geradewegs aus der Natur so massenhaft in das Zimmer gerutscht und hinter den Schrankscheiben liegengeblieben. Eine bläuliche Neonröhre oben im Schrank beleuchtete die Gesteine und sirrte leise (es war das einzige Geräusch). In der Sitzfläche eines Stuhls waren Wülste übriggeblieben von jemandem, der vor Monaten da gesessen hatte. Im dunklen Nebenraum, zu dem die Tür offenstand, erhob sich die Silhouette eines hydrantenähnlichen Bettpfostens, auf dem für einen Augenblick spitzohrig die Katze hockte.

Die Briefe waren zusammen mit den leeren Umschlägen auf dem von unten beleuchteten Glastisch zu einem losen, durchscheinend hellen Haufen durcheinandergeworfen; ein paar standen da wie der Teil eines Kartenhauses und richteten sich mit ihren glänzenden Schnittkanten und den zerfransten Rändern der Umschläge gegen den nicht mehr stimmungsvoll ruhig, nur noch geräuschlos dasitzenden Empfänger, nicht mehr handgreifliche Gegenstände, sondern das letzte um ihn, das er benennen konnte – sonst nichts als Vorhänge, nicht weich fallend, sondern starr gegen ihn gewölbt.

Hatte nicht schon beim Aufschließen der Haustür, sogar schon beim Abbiegen von der Straße, ein stetiges Wehen jäh aufgehört? Kein Augenblick, und aus der atmenden Ruhe war Starre geworden. Aufrecht sitzend, war jemand zugleich umgekippt; ohne, wie sonst ein Umgefallener, wenigstens aufzuliegen. »Derjenige« saß bewegungslos, und die Ebene des Gekippten schlitzte ihn querdurch.

Sorger, ohne Blut, nur noch Hitze, sah sich in dieser Nacht der Rückkehr in die westliche Welt, ohne Traum, ausgeboren zu einem atmosphärelosen Planeten (Karst und groteske Leere), steinschwer, ohne zu fallen; nicht allein auf der Welt, sondern allein ohne Welt; und in ihm – Unzeit – stehen die Sterne und Spiralnebel, als Augen, die ihn nicht anschauen. Er ist nicht nur von der Sprache verlassen, sondern auch von jeder Tonfähigkeit; so wie er innerlich stumm liegt, so bleibt er nach außen hin tonlos. Kein Laut; nicht einmal ein Knochenknirschen. Nur in der Einbildung gelingt es, sich zu einer Felswand wegzudrehen und sich als Steinbild in den Stein zu kauern; in Wirklichkeit zittert das Fleisch vor Schwäche.

»Von den Wirbeln eines starken Windes in welches Herkunftsland weggerafft werden?« – So kam das Bild, in dem Sorger ein Grund seiner Erstarrung erschien: er saß weit hinten in den niedrigen, leeren »Hallen der Kontinente« und in der »Nacht des Jahrhunderts« als einer, der dabei war, sich und seinesgleichen mit dem verfluchten Jahrhundert zumindest zu beweinen – und dem dies zugleich untersagt wurde, weil er »selber schuld« sei. Ja, nicht einmal ein »Opfer« war er und konnte so auch nicht mit den Opfern dieses Jahrhunderts sich zur Großen Klage zusammenfinden und in der Verzückung gemeinsamen Leidens wieder stimmhaft werden. Er, der »unbekannte Sitzende«, war vielleicht schwach, aber ein Nachkomme von Tätern, und sah sich selber als Täter; und die Völkermörder seines Jahrhunderts als Ahnherren.

Von den geschlossenen Vorhängen umstellt, von dem Briefhaufen bedroht wie von einem feindlichen Wappenschild, bemerkte Sorger in dieser Stunde, wie er, ohne auch nur einen Finger zu spreizen, jeden einzelnen der ihm aufgezwungenen Vorväter verkörperte: seine entgeisterte Erstarrung wiederholte die Starre der gewalttätigen Ungestalten; und er glich ihnen nicht nur äußerlich, sondern war mit ihnen eins, und so einig mit ihnen, wie sie es selbst wohl niemals hatten sein können. Schicksalslos, beziehungslos, ohne Recht zu leiden, ohne Kraft zu lieben (die Briefe bedeuteten nichts als Unordnung), war er nur noch treu: in Treue der Todeskultmeister Ebenbild. Er roch den Krieg, war in seiner Hütte schon von ihm umzingelt.

Auf den Grund gesehen zu haben, gab ihm aber seine Sprache zurück, und er konnte sich dann selber hassen, weil er von den Untoten besessen gewesen war, als sei er »mit ihnen verwandt«. Im Haß atmete er tiefer; atmete sich aus dem Gruftsog heraus. »Ich habe keinen Vater mehr.« Er machte die Augen zu und sah hinter den Lidern das helle Nachbild des Stroms. Seine Sprache war das »Spiel«, in dem er wieder »beweglich« wurde: er stand auf, entkleidete sich und wusch sich; sang unter Wasser ein böses Lied, das über Wasser gut endete; zog dann alle Vorhänge zur Seite.

Sprache, die Friedensstifterin: sie wirkte als der ideale Humor, der den Betrachter mit den äußeren Dingen beseelte. Zwischen den Bäumen lief ein Wirbelwind, in dem sich mit Laub und Papierfetzen eine vollständige Zeitung drehte und im Fliegen sogar ordentlich auf- und zuklappte; gefaltet kam sie jeweils im Dunkeln auf das Fenster zugerast, drehte aber immer knapp davor ab und breitete sich im langsameren Wegflattern (»für mich«) wieder auseinander. Dahinter schwankte das Gras wie Getreide, und der Ozean war zu hören wie der Lärm aus einem fernen Schulhof. Sorger konnte kurz an sein Kind in Europa denken, schloß die Haustür wieder auf und gelobte, nie wieder eine Tür abzusperren.

Er legte sich endlich schlafen (zuvor war das Bett ein unerreichbar ferner Gegenstand gewesen), und mit dem Gelb der Schwefelminerale im Gesteinsschrank verschwand die letzte Helligkeit hinter den Augen. Es fiel ihm noch ein, daß er nach Norden lag (im Giebelhaus hatte er mit dem Kopf nach Süden gezeigt).

Freilich entbehrte er, aber die klare Tatsache »Unsühnbarkeit« war abgeschwächt zu einer unbestimmten Empfindung von Vermissen; und er vergaß nicht, daß die Erstarrung sich ihm als unausweichliche Bestimmung eingebrannt hatte, als sein wahrhafter Zustand, neben dem alles andere (Sprechen, sich Bewegen) zu einem unwirklichen Getue entrückt war.

Im Sandboden unter ihm, in Gestalt einer Schanze zum Ozean hin, erschien eine ehemalige Brandungsklippe, welche aus dem Küstenfelsen geschlagen worden war von den Wellen der Vorzeit: auf dieses Riff (»Land's End«) senkte sich, im Lauf der Nacht langsam um die Achse gedreht, das Haus nieder wie eine hölzerne Arche.

Sorger war im Nachbarhaus zum Frühstück eingeladen und betrachtete von dort aus die im Licht des Morgens als Ausgedingehütte erscheinende Falle der vergangenen Nacht.

Der Ast einer Kiefer hing seitlich in die Hausfront hinein, und in dem hohen Gras, das in seiner Abwesenheit auch vor der Eingangstür aufgewachsen war, stand, mit dem Gesicht eines seltsamen Menschen, ein Hund wie ohne Beine, in Betrachtung der Möwen, die zwischen den Bäumen segelten. Sorger saß mit der Nachbarsfamilie in einem halbrunden, sonnenhellen Vorbau des Wohnraums und wußte sich für die nächste Zeit unerschütterlich; auf alles gefaßt; fähig zu den Dingen, zu denen er wünschte, fähig zu sein. Ohne Anstrengung hatte sein Blick, der in der Wildnis die weiten Entfernungen gewohnt gewesen war, sich auf die links und rechts ihn umgebende Familienrunde umgestellt; jetzt erst zurückgekehrt, nahm er an dem Leben der Nachbarn teil mit der Autorität eines von all dem Überstandenen noch etwas müden Erdkundigen, wobei gerade diese leichte Müdigkeit ihn lebendig erscheinen ließ.

Er war nicht, wie sonst oft in Gesellschaft, zerstreut in verschiedene, abschweifende Bilder, sondern verkörperte eine einzige, umfassende Phantasie, womit er sich seinen Umkreis gegenwärtig hielt und ihn in sich einbezog. Ganz Aufmerksamkeit, wurde der (eher enthaltsame) Sorger sogar stark im Genuß; und die Freude am Essen (»und überhaupt«) bewegte ihn mit zielloser Eroberungslust: bis an ein fernes Lebensende wollte er nur noch genießen. Er hatte dabei stetig ein schönes Gefühl des eigenen Gesichts, vor allem der Augen und des Mundes, und die Geldscheine, die ihm in der Hosentasche steckten und manchmal knisterten, gaben ein anderes Gefühl, das jetzt dazugehörte.

»Unser Herr Nachbar«, sagte die Frau des Hauses, die mit den Händen im Schoß ihn betrachtete, »sieht heute gut aus« (worauf ihr Mann sagte: »Wie der glückliche Mensch mit einem Schicksal«, und die Kinder stirnrunzelnd hinschauten und dann ins Freie liefen, zum Versteckspiel mit den Hunden im Steppengras).

In der Tat war Sorger am Morgen nach seiner Starr-Nacht auffälliger als sonst, wenn er als Passant unter vielen ging, oft verwechselt mit Busfahrern, Elektrikern, Zimmermalern. Der Körper schien breiter geworden, das Gesicht ruhig, und bei jedem Hinschauen immer noch ruhiger, wie nur je das Gesicht eines Hauptdarstellers (er hatte im Bewußtsein der vergangenen Nacht ein Gefühl der geglückten Verstellung), die Augen tiefer in ihren Höhlen, mit einem Schimmer von Allwissen: so ließ er sich sehen. »Ja, heute geht meine Macht von mir aus«, sagte er.

Die Familie stammte aus Mitteleuropa, wie Sorger; lebte, wie dieser, seit Jahren an der Westküste des anderen Kontinents; und der Mann und die Frau bildeten für Sorger ein Paar, dem er bis jetzt die Liebe auch hatte glauben können. Ihre Kinder waren dabei eher zufällig und eher Zeugen der Verbindung als ordentliche Familienangehörige; sie standen manchmal bloß dabei und staunten über die spielenden Erwachsenen.

Sorgers erster Eindruck von den Leuten war gewesen: »zwei Harmlose«. Sie waren wohl harmlos, aber das erwies sich dann als ihre Art Güte: sie übertrug sich mit der Zeit auf den weniger harmlosen anderen, der in ihrer Gesellschaft sich auch ohne Arg fühlen konnte. Sie erlebend, war es vorstellbar, daß sie tatsächlich am Anfang als zwei notleidende Hälften aufeinander zugelaufen waren. Sie zeigten sich dem Augenschein nach oft beschränkt und in ihrer Zurückgebliebenheit sogar häßlich; doch sie beschäftigten die Vorstellungskraft, ermöglichten diese erst und richteten sich darin auf als Inbilder – kaum jemand sonst belebte Sorger mit solch friedlicher Phantasie (statt einzuschließen in die üblichen Phantasien): und von ihnen als schöner Vorstellung war schließlich nur Gutes zu denken.

Der Mann war ein Abkömmling von Reichen, blieb jedoch außerstande, die Haltungen seiner Herkunft (auch nur in Gegen-Gebärden) zu zeigen. Er war wohl willig, aber hilflos. Willig und hilflos war er in vielem, überraschte aber dann, indem er unversehens »zaubern« konnte, wenn auch nur mit einem Blick oder einem Wort. Seine Frau kam »vom Dorf«; schien auch zunächst ein bloßer Typus zu sein, aus jenen zerhüttelten Bereichen um die ehemaligen Dörfer herum, wo den auf Lebtag hinter die Fensterscheiben Gebannten nur gnadenlos böse Blicke auf die draußen müßiggehenden Fremden übrigblieben. Doch es wurde bald unmöglich, sie so zu sehen: »kleinlich« oder »mit bösem Blick« gab sie sich einzig in der Verstocktheit – und verstockt wurde sie, sooft ein anderer vor ihr seine Kreatur verbarg. Sorger sah sie wohl öfter »hinter dem Fenster«, aber immer als »freundlich Teilnehmende«: jemand mit einer geduldigen Liebe zu aller Kreatur, die freilich jeden, in dem ihr nichts Kreatürliches mehr begegnete, schnell von sich abtat. Ihr Blick auf den anderen (das erfuhr Sorger im Lauf der Jahre) war dabei nicht böse, sondern enttäuscht und verletzt: ein sich als Beherrscher der Schöpfung Dünkender hatte sie wieder einmal abgewiesen. Nur ihren Mann betrachtete sie, auch wenn sie ihn zugleich tadelte, mit einem immerwährenden pathetischen Erbarmen, und manchmal bemerkte Sorger diesen Blick (nur höflicher, nicht ganz so freimütig, und dadurch um so wirksamer) auch auf sich.

Unscheinbar, ungefüge und langsam in allem –

auch wenn die anderen schon längst zerstreut auf
sie warteten, verharrte sie in den gemeinsamen
Anfang vertieft – war sie doch die Beispielhafte
von den beiden, und ihr Mann wurde als eigener
Mensch erst durch sie feststellbar. Er, der Belie-
bige, oft Unpersönliche (darin freilich sich selber
ein Ärgernis), war einst von ihr, die mehr war, entdeckt worden und wurde auch jetzt noch, ohne sie
oft nur Dritten nachsprechend oder temperament-
los danebenstehend, erst von ihrer Gegenwart mit
Eigensinn bestärkt. Seine Frau schmeichelte ihm
nicht, aber sie konnte, selber stolz, ihn bewun-
dern, so unbedingt, daß er jeden inneren Wider-
spruch ließ und ihr, als jemandem »aus seinem
Volk«, gerührt glaubte. Er rührte sie auch, doch
aus dem einzigen Grund, daß sie und dieser
Mensch tatsächlich einmal zu »Mann und Frau«
erklärt worden waren. Die Ehe wirkte für ihre Person, welche frei schien vom Bedeutungszwang aller gängigen Meinungen, noch immer als ein
Sakrament, in dem die »zerstreuten Sinne«, »gesammelt und geeinigt«, das Mitgefühl für den anderen machtvoll nach außen kehrten und es zu
einer unerschöpflichen Lebensform machten. Das
Beispielhafte an ihr war aber für Sorger, daß »der
andere« sich ihr nicht bloß in dem Ehemann zeigte
(der dabei doch der Mann ihres Lebens blieb),
sondern in jedem, auch einem Fremden: die Ehe
war für sie zu der Form geworden, welche ihr eine

kindliche Offenheit bewahrte und diese zugleich in einem ungezwungenen Gemeinsinn faßte, ganz verschieden von der Pflichterfüllung einer bloß Erwachsenen. (Sorger sah sie oft untätig; sie ließ sich gern bedienen, und die Kinder nannten sie kurz »die Faule«.)

Um dieses Paar war nichts Bedrückendes. Es gab keine Anzeichen, daß sie je umeinander fürchteten. Es war geradezu undenkbar, daß sie einmal sterben würden. Waren sie für Sorger überhaupt mehr als ein praktisches Gegenüber? (Der Mann nahm ihn manchmal in die Stadt mit, und die Frau hatte sich oft schon unauffällig um die kleinen Haushaltssachen gekümmert, die er sich gerade vornehmen wollte.) Ihre Beziehung war entstanden mit der Nachbarschaft und hatte sich darin ohne Sprünge weiterentwickelt. Sie waren auch nie vertraulich geworden: nie beschrieb etwa der eine dem anderen, wie er ihn früher, zu Beginn der Bekanntschaft, gesehen hatte. Sorger wußte nicht einmal den genauen Beruf des Mannes; es gab nur das »Büro« in der »Innenstadt«. Sie waren kurzweg »die Nachbarn«, und doch zählte Sorger sie im stillen zu seiner Partei; seine Gedanken an sie endeten oft, wie Briefe, als gute Wünsche, und er wollte ihre Bekanntschaft nicht verlieren.

Sorger hatte bis jetzt einige Abhandlungen geschrieben, in der Regel Gesamtbeschreibungen eines begrenzten Gebiets oder vergleichende Beobachtungen an jeweils ähnlichen Erscheinungen in getrennten Erdteilen. Mit dem geplanten Versuch »Über Räume« würde er die Übereinkünfte seiner Wissenschaft verlassen müssen; sie konnten ihm höchstens manchmal weiterhelfen, indem sie seine Phantasie strukturierten.

Es beschäftigte ihn ja schon seit langem, daß offenbar das Bewußtsein selber mit der Zeit in jeder Landschaft sich seine eigenen kleinen Räume erzeugte, auch da, wo es bis zum Horizont hin keine Abgrenzungsmöglichkeit zu geben schien. Es war, als stünden aus einer für den Neuankömmling noch endlosen Fläche für den länger darin Ansässigen vielfältige und streng voneinander getrennte Räume hervor. Aber sogar in einer auf den ersten Blick auffällig zergliederten Hügel- oder Berggegend stellte sich ein Mensch (so Sorgers Erfahrung) auf die Dauer ganz andere Räume vor als die sich aus den monumentalen und offensichtlichen Formstücken ergebenden.

Das war auch sein Ausgangspunkt: daß sich, einmal, dem Bewußtsein in jedem beliebigen Landstrich, wenn es nur die Zeit hatte, sich mit ihm zu verbinden, eigentümliche Räume auftaten, und daß, vor allem, diese Räume nicht von den gleich augenfälligen, landschaftsbeherrschenden, sondern von den ganz und gar unscheinbaren, mit keinem wissenschaftlichen Scharfblick wahrnehmbaren Elementen geschaffen wurden (die tatsächlich erst mit der alltäglich da verbrachten Zeit, die dann in der gleichsam von einem bewohnten Natur als Lebenszeit verging, erfahren werden konnten – vielleicht nur in einem sich wiederholenden Stolpern an einer gewissen Erdstelle, der unwillkürlich wechselnden Gangart auf einem ehemals sumpfigen, federnden Wiesenfleck, dem sich ändernden Geräuschhorizont in einem Hohlweg, dem jäh ganz anderen Rundblick auf dem noch so winzigen Restbühel einer Moräne in einem Kornfeld).

Sorgers Erforschungslust wurde auch davon angestachelt, daß diese Örtlichkeiten meistens nicht bloß Phantasieräume eines einzelnen waren, sondern einen überlieferten Namen hatten: vom einzelnen zwar neu entdeckt, erwiesen sie sich aber der ortsansässigen Allgemeinheit als längst schon bekannt; standen in den Katastern und Grundbüchern mit oft jahrhundertealten Bezeichnungen. Welche von den unscheinbaren Landschaftsformen konnten also zu solchen eigenen Bereichen (»Fluren« und »Plänen«) werden, erfahrbar in dem Alltag eines abgelegenen Dorfes ebenso wie dem einer Weltstadt? Welche Farben wirkten da zusammen, welches Material – welche Besonderheit? Hier würde Sorger die gutgeheißenen Methoden noch anwenden können: doch alles übrige (sein Beweggrund, wie auch sein Traum, es bei der

reinen, unerklärten Darstellung dieser Formen be-
lassen zu können) war sozusagen Kindheitsgeo-
graphie.

Und das war auch Sorgers erste Idee gewesen: die
Feldformen der (seiner) Kindheit zu beschreiben;
Pläne zu zeichnen von den ganz anderen »interes-
santen Punkten«; Längs- und Querschnitte herzustellen von all den zunächst undurchdringlichen,
im Gedächtnis aber erst das Zuhause-Gefühl er-
zeugenden Flurzeichen der Kinderzeit – nicht für
Kinder, sondern für sich selber. In dem freien Jahr,
das für ihn in einigen Wochen begann, wollte er
unter anderem quer durch Europa solche Orte
ausmessen, vor allem in den Gegenden, wo er sie
auch persönlich erlebt hatte. Er wußte dabei wohl,
daß ein solches »Spiel« (oder was immer es wäre)
zu nichts dienen könnte, aber er träumte jedenfalls
oft davon, freute sich entweder darauf oder wurde
verzagt, so als hinge alles davon ab. Und wenn er
sich freute, erlebte er in sich eine neue Kühnheit,
beinahe Unverletzlichkeit. Er würde einen Sprung
machen, vielleicht nirgendwohin, doch von irgend
etwas weg.

Sein Selbstgefühl war nie gewesen, ein Wissen-
schaftler zu sein; höchstens (manchmal) ein gewis-
senhafter Landschaftsdarsteller. Dieser konnte dabei freilich in eine Aufregung geraten, als sei er
jeweils der Erfinder der Landschaft – und als Erfinder unmöglich ein böser, auch kein selbstlos guter,

sondern eigentlich ein idealer Mensch; und dachte dann vielleicht auch, daß er doch Gutes tue – nicht indem er anderen etwas schenkte, sondern indem er sie nicht verriet: sein Nicht-Verraten war ja nicht Unterlassung, vielmehr energische Tätigkeit. Zuzeiten fühlte er sich beim Erfassen der Landschaft als Friedensforscher.

»Den Frieden lebendig machen.« Gleich am Tag seiner Rückkehr, einen zusammengeklappten Stuhl unter dem Arm, war er in der Nachmittagssonne die Küste entlang zur Bucht des »Erdbebenparks« gewandert (gehend erlebte er, wie die Stadt am Meer lag) und setzte sich dort auf eine erhöhte Stelle, um ein Landschaftsprofil zu zeichnen.

Der Park war nichts Gepflegtes; es handelte sich einfach um das bei der Katastrophe zerrissene und weggerutschte Areal, das dann zum »Park« erklärt worden war. Auf den ersten Blick fiel wenig daran auf: eine weite, leicht zum Meer hin geneigte Fläche, die spärlich mit Sträuchern bewachsen war, statt mit Nadelwald wie die Umgebung; keine Häuserreste, auch keine Autoteile ragten mehr aus dem wieder ganz fest gewordenen Boden. Dieser bildete eine lehmige, bis auf die Büsche kahle Buckellandschaft mit vielen von den Spaziergängern eingetretenen Kreuz- und Querpfaden, wobei aus den einstigen Erdrissen Täler im

kleinen entstanden waren, die, zum Teil als Hohl-
wege, in Schlangenlinien zwischen den Buckeln
verliefen: Sorger schien es, als tauchten die überall
sich dort Ergehenden jedesmal aus den Gassen einer seltsamen Erdstadt auf und verschwänden
gleich wieder in dem unübersichtlichen Weich-
bild; noch lange aber blieben hinter den Wällen
ihre Stimmen zu hören, wie sonst nur in europäischen Landschaften.

Im Zeichnen wurde ihm warm, und das Wasser
der Bucht im Hintergrund rückte näher. Nichts
lenkte ihn ab, er hatte Zeit. Das Gezeichnete begann seinen Blick zu erwidern. Selber ausdrucks-
los, wartete er in der Landschaft auf »die Gestalt«: »Nur versunken sehe ich, was die Welt
ist.«

Er skizzierte eine Erdstelle, die durch das Beben
aus dem tieferen Untergrund an die Oberfläche
gekehrt worden war: die dünnen Wurzelenden
von den ehemaligen Bäumen zeigten noch zwischen den neugewachsenen Gräsern empor, wie
oft Mitgerissenes aus Lawinen. Der Ausschnitt
war klein, und doch gingen darin die Erdschichten
deutlich in alle Richtungen auseinander – im Ab-
zeichnen war noch an dem winzigsten Richtungs-
wechsel die Gewalt der großen Katastrophe erlebbar.

Der Zeichner war etwas auf der Spur, und seine
Striche, zuerst eng nebeneinandergesetzt, fast pe-

dantisch, zeigten breitere Abstände; waren nur noch auf das Ereignis aus. Aufgeregt merkte er, wie sich der formlose Lehmhaufen verwandelte und zu einer Fratze wurde; und er wußte dann, daß er sie schon gesehen hatte: im Haus der Indianerin, als hölzerne Tanzmaske, welche »das Erdbeben« darstellen sollte.

Deren Stirnabschluß säumte eine Reihe heller Federn, die er in dem Grassaum hier wiederfand. An der Stelle der Augen ragten, ähnlich wie hier die Wurzeln, runde Hölzer empor; auch die Nasenlöcher waren ähnlich weit vorspringende, nur schmalere Holzstifte. Sorger fand die Maske jedoch nicht unmittelbar in der Natur wieder, sondern erst in seiner davon entstehenden Zeichnung; und eigentlich geschah darin auch kein Wiederfinden jener besonderen Maske – vielmehr war es ein ruckhaftes Innewerden von Masken überhaupt; und dieser Ruck leitete zugleich weiter zur Vorstellung einer Folge von Tanzschritten: in einem einzigen Moment erlebte Sorger das Erdbeben und den menschlichen Erdbeben-Tanz.

»Der Zusammenhang ist möglich«, schrieb er unter die Zeichnung. »Jeder einzelne Augenblick meines Lebens geht mit jedem anderen zusammen – ohne Hilfsglieder. Es existiert eine unmittelbare Verbindung: ich muß sie nur freiphantasieren.«

So erschienen bei Sonnenuntergang zwei Frauen, denen Licht auf die Hüften fiel, in einem der

Durchgänge zwischen den Hügeln, derart prachtvoll und übermütig, daß der Zeichner, selber beschwingt, ihnen unwillkürlich zurief: »Seid ihr Filmstars?«; worauf sie zurückfragten: »Bist du ein Offizier?« und sofort die paar Schritte aus dem täuschend weit unten liegenden »Talgrund« herauf auf die Kuppe kamen.

Sorger wußte: wenn er sich jetzt diese Frauen mit allem Ernst wünschte, würden sie die seinen. Und so war hier alles möglich: schon die erste Berührung, ganz nebenbei, im Dastehen, ging durch Tuch und Leder, und sie hafteten zu dritt sogleich aneinander; er dabei nicht »der Verführer«, sondern bloß für sie bereit, die auf einen wie ihn gewartet hatten.

Weiterzeichnend versuchte Sorger noch, sich gegen seine jähe Macht zu wehren, aber die beiden unterbrachen ihn: »Laß es dir doch gefallen.« Schöne Verantwortungslosigkeit, mit der diese Abenteuerinnen unterwegs waren: und ihre Schönheit hatte recht. Oder kannte er ein anderes Gesetz?

Sie waren sogar fähig, ernst zu bleiben, und er erfuhr mit ihnen den Triumph vollkommener Geistesgegenwart. »Die Sonne ging unter, und überschattet wurden alle Straßen«: er bat sie nicht, mit ihm zu kommen; sie folgten ihm.

Ihre Verantwortungslosigkeit hatte nicht nur recht; sie war herrlich. Die Kälte ihrer Fingernägel. Die Klarheit ihres Leibesinnern! Er sah sich in der warmen Nacht durch die Kontinente gestreckt und die Frauen, die sich um ihn kümmerten, als das letzte Mal für unabsehbare Zeit.

Nachdem die Erscheinungen ihn verlassen hatten, saß er im Dunkeln und schaute auf das gegenüberliegende Haus. »Nein, ihr wart wirklich«, beteuerte er, trank den übriggebliebenen Wein aus den drei Gläsern und wünschte sich einen Regen, der dann auch schon zwischen den Kiefern niedersprühte.

Das Licht drüben im Fenster des Kinderzimmers bildete ein gelbes Zelt, in dem ein schwarzes Spielzeugpferd stand. Sorger ging hinaus ins hohe Gras und wollte naß werden; aber sein Körper war so heiß, daß der Regen auf ihm gleich trocknete. Über dem Meer war ein tintiger Horizontstreifen: dort zitterten noch die geschlossenen Lider der fremden Frauen, und ihre Schreie erfüllten jetzt erst die leeren Räume.

Die Stadt, deren Zentrum an einem tief ins Land schneidenden gewinkelten Meeresarm lag (die niedrigen Wohnblöcke und die besiedelten Wälder an der Ozeanküste waren nur noch ihre Ausläufer), war in der Folge ein nicht mehr ortbarer Stadtplanet, unabhängig von der Erde, die außer Reichweite geratene Vorvergangenheit war: es hatte sich dort vorzeiten etwas ereignet – als

Glücksfall liebende Vereinigungen und als Ernst-
fall Kriegsausbrüche –, was in diesem Teil Welt
nicht einmal mehr die Vorstellung reizte. (Die in
die Steilküstenteile betonierten Befestigungen aus
dem Weltkrieg waren unverständlich gewordene
Zeugensteine einer gemeinsamen Vorgeschichte.)
Der Planet erschien als eine Maschine, von der die
Verwicklungen ferngehalten wurden; es gab wohl
eine Art Glück und eine Art Ernst: aber als Glück
wurde begriffen die bloße Folgenlosigkeit und als
Ernst das »nur so« Ausgeschiedenwerden; beides
lief ab unter anderen bloßen Abläufen und ergab
keinen Einzelfall mehr.

Vor allem schien es hier für niemanden mehr etwas zu tun zu geben. Die Stadt war unauffällig au-
tomatisiert, wie auf alle Zeit; wurde nur an manchen Stellen noch ein wenig ausgebessert. Sie war
fertig, die Tage und Nächte schalteten sich gleichsam ein und aus, ohne die Dämmerung der alten
unsicheren Zeiten; und aus dem Innern der Maschine kam (statt der kummervollen Stimme eines
»Volkes«), durch welchen kleinen Apparat auch
immer, garantiert für jeden Bedarf eine sonore,
weiterhelfende Antwort.

Gegen Abend erfaßte meist vom Meer aus der Nebel nach und nach das Stadtgebiet und das Hinterland und verdampfte in der Mittagssonne des
nächsten Tages, die durch die Schwaden wie ein
Wagen näherkam und größer wurde. Der Tag

wurde dann sofort heiß und blendete hell, weiß die Häuser und blau der Himmel, ohne Herbstfarben die dicken Blätter, die schnell und fast in der Fall-Linie aus ihren Bäumen abstürzten, und in dieser »Sonne des Aufschubs« – so empfand sie Sorger – bewegte er sich nun kreuz und quer, nie unbeschwert (er konnte den Aufschub ja an der nächsten Ecke widerrufen), auch niemals kleinmütig (weil es ja nicht gegen irgendeine fremde Übermacht ging), aber – jäh sich selber dabei unheimlich – immer entschlossen verantwortungslos.

Er war nicht müßig und konnte doch nie von sich sagen, daß er gerade arbeitete: es fehlte ihm dazu jene tägliche Anstrengung, mit der er, der in der Regel Schwerfällige, sich immer wieder neu erst in einen anderen verwandeln mußte; sich betätigend, blieb er gelenkig, als handle es sich um einen beliebigen Job, oder um einen Zeitvertreib.

Bei solch einzelgängerischer Beschäftigung brauchte er niemanden (die Nachbarn waren nur noch ferne Laute im Wald), und niemand (so wollte er es) brauchte ihn. Obwohl er die Stadt gut kannte, endete jedes Unterwegssein mit einem Abbiegen, das wie ein Verirren war: er »verirrte« sich in eine Kirche; ans Meer; in eine Nachtbar. Zwar orientierte er sich und verlor nie seinen Ortssinn, doch der ließ ihn trotten, statt ihn wachzuhalten wie sonst. Wo er auch war, war er hingekommen

ohne Entschluß; und oft dachte er erst im nachhinein: »Jetzt bin ich also hier.«

Die zwei Himmelsrichtungen, die Sorger seit jeher
etwas bedeuteten, waren der Norden und der Westen. Nun jedoch schien sich das Wort »Westküste«, statt auf den weiten Kontinent, nur noch auf
einen kleinen, von allem anderen abgehobenen
Bereich zu beziehen: nicht auf die große Ferne,
sondern, wie das Wort »Westend«, auf bloßes
Stadtgebiet. Wohl begegnete Sorger dem am nördlichen Stromufer im trockenen Schlamm aufge-
sprungenen Vieleckboden auch hier (in den Net-
zen des von den Erdbeben rissigen Asphalts oder
in dem von manchen Schaufenstern wie ein ge-
wolltes Muster abblätternden Sonnenschutzbe-
lag), aber er sah darin nicht mehr als zufällige,
narrende Ähnlichkeiten. Diese Welt war nicht
»alt« wie die Flußlandschaft des Hohen Nordens
(die zusehends weiter alterte, und der Betrachter
mit ihr), sondern stand ahnungslos jung und versetzte Sorger in eine Zeit zurück, wo er sich jetzt
wiedererkannte als einen leichtsinnigen, verstock-
ten Benutzer. »Wer ist der König dieser Stadt?«
fragte er unwillkürlich.

Oft in dem anderen Erdteil, und gerade in der
Wildnis, hatte es ihm, mit dem Erlebnis des weiten
Landes, wohl gefallen, daß er in einer Nation war;
die Küstenstadt jedoch blieb für sich: in ihrem Gebaren zeigte sich keine Eigenschaft, in ihrem

Durcheinander keine Einheit. Es hatte einst eine Epoche gegeben, da auch hier die Bewohner sogar aus den Verkehrsgeräuschen eine Sprache herausgehört hatten, die für sie alle redete: »Schau, was wir zusammen machen können« – so waren jedenfalls noch vor Jahrzehnten die an der Küste entlangratternden Züge verstanden worden –, während jetzt, auch wenn die Stadt im hellen Sonnenglanz wie bereitlag, rundum in der undurchsichtig bleibenden Buchtkrümmung nur stumm die Nebelhörner tuteten. Häuser und Autos richteten sich vor dem Betrachter zwar auf, gleißend wie nur Luxusgegenstände, aber keines dieser Dinge trug den Blick weiter, über das Land oder das Meer, zu ähnlichen Menschen in eine größere Welt. Auch im Norden waren die Distanzen zu den anderen Erdpunkten ja Zahlen wie Märchen gewesen (in der winzigsten Ansiedlung zeigte ein dicht gebündelter Wegweiser mit den entsprechenden Meilenangaben in die Himmelsrichtungen aller Weltstädte): doch so fern von jedem Bezug wie jetzt hier hatte sich Sorger noch nie gefunden. Später gab es in seiner Vorstellung kaum ein über den Häusern aufsteigendes oder landendes Flugzeug; dafür die unablässig sich schlängelnden bunten Bänder der Papierdrachen hinter den Dächern.

Und doch spürte er oft im Vorbeigehen, daß auf seinen (wie auch immer) teilnehmenden Blick gewartet wurde. Er sah dann im Wegschauen gleichsam noch einmal weg, in eine Ferne, die er oft nur vortäuschte, und wollte den anderen verwehren, ihn überhaupt wahrzunehmen; saß dafür als ernster, gesammelter Zuschauer allein in einem dunklen Striptease-Lokal, wunschlos phantasierend vor den in schöner Gleichmäßigkeit bewegten nackten Körpern, als »der Mann mit dem Weinglas«; oder befand sich mit anderen Unbekannten in einem Porno-Kino, als »Mann mit den verschränkten Armen«, und erkannte sich auf der Leinwand als Darsteller. Alles Persönliche hielt er zurück; nicht indem er log, sondern indem er die vielen falschen Annahmen, die geäußert wurden, allesamt mit einem heimlichen Triumphgefühl bestätigte. Er ging zu Treffen mit fremden Leuten schon in der Absicht, ihre Gesichter, sie anschauend, zugleich wieder zu vergessen, und auch er wurde beim Abschied oft nur gefragt: »Ihr Name war...?«

Das »wie Donner fortdröhnende Innere der Jukebox« wiederentdeckend, verwandelte sich Sorger in einen Spieler. Er wurde dabei vielseitig und bemerkte, daß er anders – ganz anders – alles sein konnte. Im nachhinein kam es ihm vor, als habe er während dieser Wochen niemanden verstanden, dafür aber, scharfsinnig wie je ein Spieler, jede Reaktion vorausgesehen. Er erlebte keinen Moment des Wechsels mehr zwischen Stärke und

Schwäche, was ihm sonst das Gefühl der Dauer-
haftigkeit gab; streifte nur, begleitet vom Klim-
pern des Geldes, unstet durch die Stadt, wo in den
Auslagen die Herbstblätter als unbewegliche Dekoration lagen. Recht war ihm nun freilich, daß er
sich nicht als Professioneller aufspielte und sogar
in seiner doch täglichen Facharbeit sich nichts Be-
rufsmäßiges mehr zeigte: endlich verrichtete er, so
wie er es wollte, seine Tätigkeiten mit dem ver-
schlossenen, traumwandlerischen Ernst eines
Laien; von allen abgewandt, seine Zeit mit niemandem teilend, empfand er sich zuweilen umgeben von einer magischen Schönheit.

Losgesagt von der Nation und nicht genug agitiert
von den ruhigen Weltreligionen, war die Westküstenstadt ein Fest für Sekten, wo es überall tanzte
von Geheimzeichen. Keiner schien hier mit jemandem verwandt – dafür trafen sich die für kurze
Zeit zufällig Gleichgesinnten und versteckten sich
eilig in Zirkel. An einem Abend fand sich Sorger
so auf einer Straße in eine lange Reihe gestellt, bewegte sich Schritt für Schritt mit und stand
schließlich in einer weiträumigen, abgedunkelten
Halle unter den Massen, die wie er auf den Sänger
warteten, welcher ein Held ihrer aller Jugend gewesen war.
Es hatte ihn nichts hierhergetrieben; eher erfüllte
er eine selbstverständliche Pflicht, die ihm in der

Vorstellung sogar lästig gewesen war: schon lange konnte er von niemand Drittem mehr vertreten werden. Er brauchte inzwischen Leitformen, die, anders als die Abschlußklänge der Lieder, ihm die Idee von einem immer neuen Anfang gaben, wie etwa die ersten, jahrtausendealten, noch poetisch zuredenden statt kalt beweisenden Schriften seiner Wissenschaft, oder die Formenerforschungen der Maler, in die er sich wohl auch verlor wie in die Musik des Sängers, doch zugleich als Selbstbestärkten wiederfinden konnte.

Der Sänger war ein kleiner breiter Mann, der überkräftig und ganz abwesend wirkte. Er kam auf die Bühne, starrte ins Licht und fing sofort zu singen an. Mit der ersten Tonfolge bildete der Raum die Schlangenlinie der Mikrophonschnur nach, die der Sänger ruhig in der Hand hielt. Seine Stimme war gleich mächtig, ohne laut werden zu müssen. Sie kam nicht aus dem Innern des Brustkorbs, sondern bestand zunächst unabhängig von ihm als eigener, fester, dabei nirgends zu ortender Körper. Die Stimme ertönte nicht als Gesang: sie machte sich eher hörbar als die Laute eines, der nach einem langen, elenden, unaussprechlichen Brüten plötzlich loslegte. Jedes seiner Lieder gab dabei erst im ganzen einen Ton und fügte sich einzeln zusammen aus einer raschen, manchmal stotternden und sich wiederholenden Folge von schneidenden, erbitterten,

drohenden (jedenfalls nie erleichterten) Schmer-
zensschreien.

Er lächelte keinmal. Einmal sprang er mit seinem
schweren Leib ziemlich hoch in die Luft. Abwesend starrend konnte er mit seiner Stimme, die er
von außen erst tief in sich hineintrieb, es denen in
seinem Innern endlich sagen – und wollte vor allem mit niemandem etwas gemein haben. Er trug
seine Lieder nicht gefühlvoll vor, sondern suchte,
wie ein Wahnsinniger, ein ihm selber rätselhaftes
Gefühl.

Lange Zeit erschien er, auch durch die fast nur
rhythmischen Begleitinstrumente, als ein lebloser
Verdammter der eigenen Maschinerie; – doch gerade das stetig Motorische trug der Stimme allmählich jenen vibrierenden Unterton zu, mit dem
dann gegen Ende seines Auftritts der in sich Hin-
einwütende, dabei seine fast rachsüchtige Weltab-
gekehrtheit bewahrend, zu einem ihnen allen ge-
meinen Hymnus durchbrach. Sorger erlebte mit,
was »Hymnen« sein konnten, und begriff den un-
förmigen und niemandem ähnlich sehenden
Mann auf der Bühne als einen widerwilligen Frei-
heitssänger. Früher hatte er ihn verehrt, wie einer,
der eigentlich kein Recht dazu hatte: aber jetzt,
nur noch interessierter Zuhörer, fühlte er sich selber zu einem Ebenbürtigen erhoben. In die belebten und doch stillen Straßen weggehend, überlegte
er, warum er die Helden seiner Jugend fast alle

vergessen hatte, und blieb zufrieden, Körper an Körper, in der sich langsam bewegenden Menge, in deren Geräuschen, selbst im Schrammen eines Schuhs auf dem Asphalt, noch die Stimme des Sängers mitklang.

Schließlich gab es doch eine Veränderung: die Stadt teilte sich in zwei Bereiche, die, jeder für sich, immer fremdartiger wurden (und Sorger mit ihnen).

Nach dem schmalen, flachen Küstenstreifen, wo in der Föhrenschonung Sorgers Haus stand, stieg das Land ostwärts leicht zu einem dichtbesiedelten, waldlosen Hügelrücken an und sank dann wieder ab zu einem dem Ozean parallelen Finger der Bucht, deren Ufer den Universitätspark begrenzten. Die Straße dahin überquerte den Hügel in einer kaum merklichen Mulde, die nun, mit dem fast täglichen Weg, zu einem »Paßsattel« wurde. Der Campus war nicht weit weg vom Pazifik (Sorger ging dahin oft zu Fuß), und doch wurde das Überwinden des kleinen Sattels mit der Zeit ein Aus- und Eingehen durch einen geheimnisvollen, Unbestimmbares bedeutenden Torbogen. Der auf diesem »höchsten Punkt« Angekommene blieb unwillkürlich stehen oder schaute wenigstens kurz über die Schulter: obwohl bebaut mit den üblichen niedrigen Häusern, die ganz ähnlich auf beiden Abhängen standen, zeigte sich Sorger die Paßregion wie ein wichtiger Ort, an dem es zu einer »Entscheidung« kommen würde (obwohl das einzig Auffallende daran die Nebelbahn war, die sich an den Spätnachmittagen darüber wie ein langsames Schneebrett in die Innenstadt wälzte).

Manchmal, wenn Sorger sich ein Bild von der Stadt machte, sah er den Paß unwirklich daraus hervorragen, unbesiedelt und sogar ohne Vegetation, eingesenkt in den düstergrauen Granit eines Felsengebirges; und so unwirklich wurde ihm gegen Ende seines Aufenthalts auch die eigene Person. Mit niemandem redend, hörte er zuletzt auf, mit sich selber zu sprechen. Eine Zeitlang hatten zumindest noch verschieden lange Atemzüge ihm insgeheim dies und jenes zugemorst, und fast erleichtert hatte er geglaubt, ohne Sprache auszukommen; kam sich dabei sogar vollkommen vor. Dann wurde ihm die innere Stummheit bedrohlich – als sei er ein tauber Gegenstand, für immer verklungen, und er wünschte sich die Leidenschaft des Sprechens zurück. Unwirklichkeit hieß: alles konnte geschehen, aber er hatte keine Eingriffsmöglichkeit mehr. Ging es nicht doch gegen eine fremde Übermacht? Sorger fürchtete die Entscheidung, weil er nichts würde dazutun können. Er hatte kein Bild mehr von sich selber (was ihm sonst die Kraft zum Eingreifen gab); und niemand – obwohl er oft nach den Frauen vom »Erdbebenpark« schaute – zog ihm die Grenzen durch Berührung. Seine Tätigkeiten (Vorarbeiten zu der geplanten Abhandlung) verrichtete er jeweils ohne Seitenblicke auf anderes, ohne innezuhalten, in geradezu panischer Konzentration. Und die Stadt rückte von ihm weg: als würden nach und nach vor ihm alle Fenster heruntergeschoben. War nicht das Vergessenwerden einmal eine süße Idee gewesen – und das Sich-vergessen-Lassen sogar eine Kunst?

Fern von der Schöpfung, unnahbar vor Hochmut, überall ohne Abschied verschwindend, erwartete er »die Bestrafung«; und zugleich ging ihm eine Hymne des Sängers nicht aus dem Kopf: »Der Tag meiner Größe steht bevor.«

Es wurde tagsüber immer noch warm. Wie überall war ihm sein Arbeitsraum auf dem Campus zugleich Wohnung; manchmal blieb er auch über Nacht in dem Labor und schlief da auf einem Feldbett. (Sein Haus sollte verkauft werden, es gingen darin schon Leute aus und ein.) Neben dem Mikroskop stand ein Rasierpinsel, und daneben eine Kaffeemaschine. Das Labor befand sich in einem ebenerdigen, ungewöhnlich langen Glasgebäude, das nach dem Willen des Architekten an einen auf dem Rasen hingestreckten Wolkenkratzerriesen erinnern sollte. Sorgers Gegenüber bei einem Blick aus dem Fenster war die Aluminiumwand eines Schuppens, wo (für eine andere Wissenschaft) die

Versuchstiere gehalten wurden; dahinter schon kräuselte sich das fast immer ruhige Wasser der Bucht.

Das Institut wurde durch einen Flur längsgeteilt: jenseits des Flurs waren die Hörsäle, untereinander mit Flügeltüren verbunden, die in der vorlesungsfreien Zeit sämtlich offenstanden, so daß der Blick dann durch lange Fluchten vom ersten bis zum letzten Saal gehen konnte. Diesseits hatte Sorger zur einen Hand die mehrfach abgesperrte, fensterlose Kammer, wo bei gefilterter Luft in leise summenden Apparaten das Alter von Gesteinen bestimmt wurde; im Raum zur anderen Hand standen auf schweren Marmortischen, damit sie auch bei stärkeren Beben nicht verrutschten, die seismographischen Geräte, deren Metallrollen aus gemächlicher Kreisbewegung unversehens mit einem hohen Sirren losrasen konnten. (Eine Maschine empfing ständig die Tonwellen aus dem Erdinnern, die in dem Apparat ein fernes Dröhnen ergaben, und in dem Gedröhn pochte ein sehr heller, fast singender Klang.)

Sorger hatte auch hier »seinen Bereich«: das war draußen, zur Bucht hin, die Grasfläche zwischen dem Aluminiumschuppen und seinem Labor, von dem aus sogar eine eigene Tür (wie bei manchen Zugabteilen) ins Freie führte. Hier wuchsen die Eukalyptusbäume, aber auch, geschützt von einer Umzäunung, eine besondere Farnart, welche zu den ältesten lebenden Pflanzen der Erde gehörte. Ein Tisch stand im Gras, davor ein Eisenstuhl.

Wie oft, blieb Sorger vor dem Weggehen noch eine Zeitlang untätig in seinem Labor. Die Tür zum Flur war offen, und ein Hund rannte vorbei. Sorger rief ihn, ohne daß das Tier auch nur den Kopf hob. Ihm nach kam der Campus-Polizist, an dem schon im voraus der Schlüsselbund klirrte; auch er übersah den Mann im Labor.

Auf dem Tisch im Freien stand eine Schreibmaschine; ein leeres Blatt Papier war eingespannt, durch das die Sonne schien; es flatterte leicht; daneben lag eine Orange. Unversehens wurde aus der Sonne eine Abendsonne, und die Orange und das Papier wurden rötlich. Ein steifes Eukalyptusblatt hing für einen Moment an der Stuhllehne; krachte zu Boden. Aus dem Versuchstierbunker kam ein Krächzen. Unten an der Steinfassung der Meeresbucht liefen Schaumkronen entlang, keine einzelnen Wellen, sondern ein ganzer breiter Schwall, der vom Wind (oder einem kleinen Erdbeben weiter weg) in den Seitenarm gedrückt wurde: die Wasseroberfläche blieb weithin glatt, war aber schräggestellt und prellte so gewölbt in die Bucht hinein. Dann trübte sich schon die Luft im Vordergrund, und der Nebel senkte sich in immer dichteren Schwaden aus den Baumkronen.

Der weitgestreckte Park des Campus, den Sorger nun verließ, war aus dem Stadtgebiet ausgezirkelt

und neigte sich sacht zum Wasser hin, so unauffällig, daß es nur an den ganz leicht sich hügelauf-
wärts verjüngenden Sockeln mancher Gebäude
erkennbar war. Der Bezirk war still und wirkte zugleich immer belebt, auch ohne das Schnurren der
ihn querenden Elektroautos und das tagsüber unablässig neu entstehende, wie aus allen Richtungen kommende und wieder verschwindende Geräusch der Schritte; wobei dann zuweilen ein
männliches oder weibliches Husten so seltsam
deutlich wurde wie sonst nirgendwo in der Stadt.
Der Nebel stand in dem ganzen Park, nicht weiß,
sondern diesig, auch ungleichmäßig dicht, so daß
in der trüben Masse hier und dort die Sonne noch
kleine, sich wenig verändernde Lichteinschlüsse
bildete, wo das Gras leuchtete und das sich da hindurch Bewegende kurz in Farbe erschien. Auf einem der Rasentische rollte eine leere Getränkedose
in dem Fallwind, der immer noch die Nebellagen
herabdrückte, langsam vor und zurück, in Über-
einstimmung mit den getragenen, doch blechern
verzerrten Schlägen der Campusturmuhr, die elek-
tronisch ein Glockenspiel nachahmte, und ein gro-
ßer Flugkörper schwebte niedrig über die Bäume,
fast lautlos, mit bleichem Metallbauch.
Eine völlig gerade Straße führte an der Bucht entlang von dem Park weg ins Stadtzentrum. Die Autos und die Passanten bewegten sich hier weit und
breit noch in der letzten Sonne, während die

Hochhausspitzen über ihnen bis zu den tieferen Etagen herab schon in einem grauen Dunst standen.

Bei dem Blick zurück hätte jetzt am Ende der Straße über die Horizontlinie des auf die Entfernung als Naturwald erscheinenden Parks der Zinnenturm der Universität aufragen müssen: aber dort wölbte sich nur noch ein aus dem Boden gewucherter und dann erstarrter gigantischer Schimmelbalg; ein in der Abendsonne metallisch strahlender, an seinen Flanken von dem wie magnetischen Himmelblau aus dem klein-in-kleingefügten Umland herausgehobener und den ganzen Campus in sich einwölbender Nebelbunker.

Als Sorger auf seiner Paßhöhe stehenblieb, wurde es schon dunkel (immer schwerer war ihm das Gehen geworden, ohne daß ihm dabei, wie sonst, das Gedächtnis wiederkam); die ersten Lichter erschienen, auch in der Ferne, wo sie zitterten, und schließlich weitete sich die Stadt, die gerade noch fast verschwunden gewesen war, zu einem großräumigen abendlichen Flimmern; der Nebel hatte sich nicht verflüchtigt, aber er wurde, dünn und jeden Lichtschein durchlassend, im Dunkel fast unsichtbar.

Sorger blickte sich um nach dem Zentrum, das, anders als die Wohngegenden, kaum blinkte, sondern eine starr leuchtende Ordnung bildete, und sah sich in seiner Vorstellung da unten die Fassaden entlangtreiben; den Ort, auf dem er stand (den »Paß«), spürte er dabei tatsächlich als Boden unter den Füßen, und er setzte sich auf die Bank einer Bushaltestelle.

In den Autos, die dicht hintereinander und unablässig vorbeizogen, saßen die Fahrer fast immer allein; sie näherten sich aus der Dunkelheit als Silhouetten, herausgeleuchtet von dem jeweils nachkommenden Auto in dem leeren Inneren ihrer Karosserien, und die unaufhörliche Folge der einzeln vorbeirollenden, reglos ausgerichteten schwarzen Büsten (die gesichtslosen Köpfe von einem Lichtkranz umstrahlt) bildete auf die Dauer, trotz der Schnelligkeit und der wechselnden Motorengeräusche, eine gemessene Kavalkade; als seien da keine Lenker in ihren Fahrzeugen, sondern Personenumrisse in gleichmäßig ausgeleuchteten, immergleichen Gestängen, ohne Verbindung mit den vier Rädern, welche die Oberteile wie selbsttätig durch die Nacht transportierten.

Massig und undurchdringlich in dem sonst endlos durchscheinenden Zug blieben aber, als übergroße Zwischenglieder, die vielen Pendlerbusse, wo die Insassen hinter den tiefdunkel getönten Scheiben nur zu ahnen waren; wobei freilich immer wieder einzelne von ihnen oder kleine Gruppen in einem über ihnen angeschalteten Punktlicht sichtbar wurden, keine Schattenrisse, sondern klar herausgebildete Menschengestalten, die gerade durch die sie umgebende Finsternis eine besondere Deutlichkeit hatten: die so sich zeigenden Passagiere saßen meist mit nach hinten auf die Lehne gelegtem und leicht zur Seite gewendetem Kopf; und durch die gefärbten Fenster erschienen ihre Züge in einem rötlichen Gelb. Diese Gesichter, hoch über der Straße in den Bussen rasch vorbeibewegt, frei von allen persönlichen Merkmalen, waren an eine vergessene Friedenszeit gemahnende Tiefenbilder von »Sitzenden«, »Betrachtenden«, »Lesenden«, »Ruhenden«, welche den Augenzeugen draußen, indem sie aus der Entfernung sofort ganz nahe kamen, mit einem Schock des Wiederfindens belebten.

Dann bog ein grellerleuchteter Stadtverkehrsbus zur Haltestelle ein, und Sorger sah darin die Nachbarsfrau mit ihren Kindern. Diese redeten miteinander, während die Frau stumm zuschaute. Er hatte sie bemerkt, weil sie im Bus mit fast der gleichen Geste die Hand von der Stirn nahm wie er draußen auf der Bank. In ihrem Gesicht, so dachte er, war ein »Stich Schmerz«, den er doch (das wußte er später) bloß an sich selber spürte. Sie lächelte in sich hinein, band das Kopftuch ab, als sei sie schon zu Hause, und in dem weißen Licht erschien die Haarpracht für einen Moment als »ein eigenes Reich«. Er winkte. Als der Bus wieder anfuhr, blickte sie zur Seite, sah ihn, betrachtete ihn sogar bis zu den Schuhen hinunter, erkannte ihn aber nicht. Er sprang auf und klopfte gegen die Scheibe; doch es war schon eine andere Scheibe, mit einem anderen Gesicht, das aus dem weiterfahrenden Bus verwundert zu ihm zurückschaute; – und da geschah es, daß Sorger, unbeobachtet unter dem freien Nachthimmel, heftig errötete.

Zuerst war er nur verwirrt und sprach in seiner Verwirrung eine Frau an, die, aus dem Bus gestiegen, wie unschlüssig dastand. Sie sagte bloß, ohne ihn anzublicken: »Nein!«; und als er sich ihr zu erklären versuchte, zeigte sie ihm, mit abgewandtem Gesicht, die geschlossene Hand (nicht einmal eine Faust), und ging weg, spazierte ohne ihn in das Dunkel, scharwenzelnd, eine ihm unbekannte Melodie in ihrem Körper.

Viel später, als Sorger sich an diese, wie er dann wußte, lebensentscheidende Stunde wieder erinnern und sie fassen konnte, meinte er, es hätte damals genügt, »innezuhalten«, alles an sich (Bewegungen, Gedanken, Atem) »zu verlangsamen«, und es wäre »nichts gewesen«. In diesem Moment aber dachte er nur, der Frau ein paar Schritte nachgehend: »Ich habe doch Geld.« Dann wurde der Boden zu seinen Füßen so deutlich, als sei er schon gestürzt. Stille wie nach einem Unfall, und Hundegebell. Der Absturz war jäh; die Leere ganz unvermutet. Statt »Niemand weiß, wo ich bin« hieß es nun: »Für mich gibt es niemanden mehr. Jeder hat einen anderen.«

Er ging hin und her, denkunfähig. Er hatte sich doch für unzerstörbar gehalten. Er blieb stehen und spürte, wie er dabei war, was die geplante Abhandlung betraf, für immer zu scheitern: er konnte diese vielleicht schreiben, würde aber »von niemandem mehr gehört werden«. »Kein Chaos!« war das einzige, was er noch sagen konnte: dann sauste er wie in einer Sprachlosigkeitskanzel aus dem Raum hinaus, der sich verzerrte und dann ganz weg war.

»Raumverbot!«

Das Meer wurde unheimlich, aber auch die Siedlung im Kiefernwald; trostlos die ganze Stadt, aber auch jeder Anschein von Natur. »Ihre Busse, bringt mich weg von hier.«

Er ging auf und ab; blieb stehen: gerade hatte er nicht bloß die »Paßhöhe« verwirkt (diese erschien nur noch als »Loch« und dann als Hohnparodie zwischen den Fingerknöcheln), sondern überhaupt all seine Vorstellungsräume: den Tisch unter den Eukalyptusbäumen ebenso wie den nördlichen Strom, den er, mit dem heftigsten Trennungsschmerz, wie für alle Zeit hinter einer Böschung verschwinden sah.

Zerstört war der Lebensplan: Es gab keinen »Bereich« mehr, nirgends; nicht einmal die Orientierung an der Bodenschichtung unter den Fußsohlen. Mit dem »Schönen Wasser« vertrocknete auch er; platzte auf, die Haut wurde abgezogen;

und aus dem Untergrund fuhr »der lebende Tote«
in ihn.

Sorger ging auf und ab, in dem Bewußtsein, von
sich selber endgültig durchschaut zu sein. Während ihm sonst die Momente der Selbsterkenntnis
einen Lebendigkeitsruck gegeben hatten, sah er
sich jetzt, mit der Verwirkung »seiner« Räume,
die ihm zugleich eine gesicherte Zukunft bedeutet
hatten, als einen stümperhaften Fälscher. »Deine
Räume gibt es nicht. Es ist aus mit dir.«

Wer sprach da eigentlich? Welche Stimme redete
ihn nieder, seit er ein Bewußtsein hatte? Einen
Moment lang schwirrte es in ihm, als sei er sein eigener Böser; und er sah, in der Gestalt eines ungefiederten Balgs, die Seele, die, gemäß der unaufhörlich verdammenden Stimme, von ihrem Leib,
ohne den sie verloren war, getrennt werden sollte:
ein Nachbild der Katze, die einmal im Flugzeug
mitgenommen worden war und dort vor Entsetzen einen Totenkopf bekommen hatte.

Vor ein paar Jahren, gleich bei seiner Ankunft an
der Westküste, hatte Sorger ein Erdbeben erlebt:
er saß am Rand eines Schwimmbeckens und sah
auf einmal das Wasser in dem Becken schräg stehen. Die Luft war voll Staub, es herrschte ein eigenartiges Licht, es war, als bewegten sich große
Berge. Er erlebte das Beben, fiel sogar vornüber,
doch er konnte es nicht glauben: so schien ihm
jetzt auch das eigene Ende ganz nah und zugleich

ganz unmöglich: »ich« sollte zugrunde gehen? Wie schön war der Essensgeruch aus den Häusern, das Feierabendlicht, sogar ein Ausspuckgeräusch in der Dunkelheit.

Gut war dann freilich, daß die Weltrichter-Stimme, als ihr Urteilsspruch ausführlicher wurde, immer mehr Widerlegbares, ja Lächerliches gegen ihn vorbrachte (ihm seinen Namen vorwarf oder, »an den Häusern der Gegend nicht mitgebaut zu haben«) und ihn zuletzt gar beschuldigte, in der Epoche der Gewaltherrschaft (Sorger war damals kaum geboren gewesen) »keinen Widerstand geleistet zu haben«.

Unablässig auf und ab gehend, hatte er sich mit der Zeit ins Gehen eingewiegt und nur noch Zahlen aufgesagt.

Dann hielt ein Auto neben ihm, aus dem die Stimme des Nachbarn in der ihnen beiden gemeinsamen Sprache herausklang: »He, Nachbar.« Im nächsten Augenblick kam es, daß der in das heitere Gestänge zusteigende Sorger dachte: »Danke, ihr Mächte.« So sehr hatte er zuvor auf etwas gewartet, daß ihm das Auto als »Schrift« erschien und der eigene Schädel als »Erwartungsgewölbe«. In der Vorstellung, daß er allein nicht nach Hause gefunden hätte, legte er die Hand in die Ellbogenbeuge des Mannes: wem war je ein Mensch so stofflich geworden? – »Göttlicher anderer.«

Sorger folgte dem Nachbarn in dessen Haus. Im Vorraum blieb er lange stehen, als sei das jetzt ein besonderer Ort. Bei dem Schritt ins Wohnzimmer das Erlebnis der »Schwelle«: wieder im Spiel der Welt sein.

Er sagte, sogar mehrere Male, zu der Frau und zu den Kindern: »Ich bin's.« Mit ihnen an einem Tisch sitzen; die Kinder emporheben (sie ließen es sich gefallen); die Speisen betrachten (»Schöne Helligkeit des Fleisches«); überhaupt unter einem Hausdach zu sitzen: es war für Sorger ein Abend der Vergewisserungslust. In diesem Haus wohnte eine Familie, die in Bescheidenheit ein mögliches Leben führte; und er gehörte zu diesem Haus, wo die Dinge schön waren und die Menschen un-schuldig.

Es war zugleich ein Abend der Komplimente. Er sagte zu dem Ehepaar: »Sie sind mir kostbar«; aber auch, mit der gleichen Haltung des fast ereignishaften Ernstes (zu dem Mann): »Der Anblick Ihrer gestreiften Baumwollhemden wird mir in Europa fehlen«; und pries (vor der Frau) »das na-türliche Vieleckmuster« in der Rinde des Weiß-brots. Und er erkannte sich in der eigenen Höflich-keit auch wieder: sie erzeugte an diesem Abend die Idee eines »Landes«, die der höfliche Sorger ver-körperte und in deren Gestalt er sich ganz weiter-gab; sein Name deutete sogar die Provinz an, wo der Träger (mit vielen Gleichnamigen) herstammte; und schließlich redete er so selbstverständlich, daß es niemandem auffiel, in seinem fast vergessenen Dialekt.

Es war nichts mehr von der üblichen Gemessenheit des etwas steifen Gastes an ihm; er stützte die Ellenbogen auf den Tisch, zupfte die anderen an ihren Kleidern und forschte in ihren Mienen mit einer familiären Zutraulichkeit. Er konnte keinen Moment alleinbleiben und ging den Leuten überallhin nach: dem Mann in den Keller, den Kindern ins Schlafzimmer, der Frau in die Küche. Schönheit der Schwellen! Er schenkte die Getränke ein. Er brachte die Kinder zu Bett; sie erzählten ihm dabei ihre innersten Dinge, von denen auch die Eltern nichts wußten. Dann ging er beim Sprechen immer wieder im Wohnraum auf und ab, als sei er der Hausherr. »Sie sind so weit weg«, sagte er zu seinen Gastgebern und forderte sie auf, ihm näher zu rücken. Jeder Satz, mit dem er, den drohenden bloßen Sprechzwang beherrschend, sich an die anderen richtete, würde ihn, hielte er sich nur bei jedem Wort für (allein) verantwortlich, wieder an die Menschenwelt anstücken helfen. Mit jedem Wort, das Sorger an diesem Abend (mühselig) äußerte (»langsam formen!« dachte er), warb er zugleich um Aufnahme in das Haus, unter dessen Menschen – in sein »Land« (»nur wenn ich die Form schaffe, bin ich mit den anderen«); und er, der die großen Räume

verloren hatte, vertiefte sich gelehrig in die kleinsten.

Die Nacht im Haus war hell; draußen schien der
Vollmond. Die Kinder lachten in ihrem Zimmer.
Im klaren Licht dieses Abends, wo jedes Ding seinen Platz in einer neuen Raumtiefe bekam, erblickte der »schwermütige Spieler« (das erschien
ihm jetzt wie ein Leitwort nicht nur für diesen Augenblick seiner Existenz) das Gesicht der Frau gegenüber, wie er noch nie jemand anderen gesehen
hatte.

Es fing damit an, daß ihm wieder ihr Haar auffiel;
es war ein Wohlgefallen an den Locken, an der
Hautlinie des Scheitels, an der Haarmasse selber.
Allmählich zeigten sich ihm auch die Einzelheiten
des Gesichts: außer Frage jetzt deren Schönheit –
sie wurden aber zugleich dramatisch: ein Teilzug
leitete sein Auge (er wollte nie mehr etwas anderes
sein) weiter zum nächsten. »Das ereignet sich für
mich«, dachte er. Dabei starrte er die Frau nicht
an: mit seinem Blick vollendete er vielmehr die
Höflichkeit, indem er wahrnehmend sich selber
unsichtbar machte, in einem bloßen menschlichen
Anwesendsein. Er erlebte sich wieder in einen
»Empfänger« verwandelt, wie bei dem Aufneh-
men der Vieleckmuster im Schlamm des Fluß-
ufers; doch hier sammelte er so keine Kräfte mehr,
sondern war umgekehrt fähig, im Nachformen
der anderen Figur alle dort in der Natur gesam-

melten Kräfte auf das letzte zu verbrauchen, bis endlich das reine Empfangen-Können des Gegenüber (bisher angewiesen auf Sympathie und beschränkt auf einzelne, besondere) die umfassende neue Kraft wurde: seine einzige jetzt – die ihm aber genügte.

Als erstes wurde in dem Gesicht die ein wenig vorgeschobene Oberlippe lebendig, die den geschlossenen Mund leicht überschattete, als stünde er zugleich ein wenig offen: jedenfalls sah ihn Sorger nicht bloß verstummt, sondern zum Zureden bereit – diese Lippen würden ohne Anstalten für einen anderen sogleich die rechten Worte bilden und auch nach dem Sprechen weiter für ihn beredt bleiben. Ihre Wangen hatten keine Eigenart (es erschien dem bedingungslos aufnehmenden, das Gesicht so erfindenden Blick überhaupt nichts mehr an diesem eigenartig), als daß sie als eine glatte, feste Fläche wirkten, von der aus dem Zuschauer eine sich mit den Wangenlinien mitformende, augenblickliche (nicht festzuhaltende, nur immer wieder neu zu beschwörende) Weite zuflog. Wie hilfsbereit nachher (wiederum ohne ein besonderes Merkmal, einzig als lebendige Tatsache) die von Schatten verdunkelten, in ihrer bloßen »Dunkelheit« schon alles verstehenden Augen; und wie schutzsuchend danach (und ihn als der Abschluß des Dramas zum Handeln auffordernd) allein die Tatsache der gewölbten Stirn, einer verletzbar schimmernden, wie knochenlos preisgegebenen überhellen Rundung. Schließlich war Sorger nicht mehr der bloß selbstvergessene Betrachter der Ereignisse eines anderen Gesichts, sondern es geschah nun, daß sein beschränktes persönliches Leben, mit einem überwältigend sanften Eingriff, in den Zügen des Menschheitsgesichts aufgehoben wurde und in dessen Offenheit unwiderruflich weiterging.

Er war zwischendurch von dem Tisch aufgestanden, wo er mit dem Mann Schach spielte, während die Frau lesend dabeisaß, und hatte sich, im Haus umhergehend, von dem Gesicht entfernt, das ihm dabei doch immer gleich nahe blieb; und dann wurde aus der Entfernung, in den zunehmenden Schatten unter dem Lampenlicht, die ganze Gestalt, so wie die Leute in den verdunkelten Pendlerbussen als »Schlafende und Wachende« erschienen waren, zu einer »Zeitgenössin«; wozu auch das durch den gesenkten Kopf gebildete leichte Doppelkinn paßte: »Wir sind aus einer Gegend.« Auf dem Hals war ein kleiner Lichtkreis: »Stark für zwei«, und an der wie freischwebenden Hand lag doch ein Finger fest auf dem Buch: »Alltäglich wie du.«

Sorger setzte sich wieder an den Tisch und fing, statt im Spiel die Schachfigur zu ziehen, zu reden an. Selber immer noch wie unsichtbar, blickte er in die Gesichter der anderen hinein, als sei er von

ihnen schon getrennt, nicht durch einen Zeit-
sprung, sondern durch einen ganz allmählich ihn
(mit dem Reden) entrückenden Zeitfall, den er, indem er sprach und erzählte, als gleichbleibend
linde Berührung spürte; so sich bedächtig frei
sprechend, dachte er mittendrin: »Was ich je für
mich gedacht habe, ist nichts: ich bin nur, was mir
gelungen ist, euch zu sagen.«

Nebenan noch eine Weile das Lachen der Kinder;
dann ferne Möwenschreie. Sorger war jetzt so ruhig, daß er den »Raumentzug« auf der eingebilde-
ten »Paßhöhe« einfach mitteilte. »Heute hat
mich, mit einem Schlag, eine Kraft verlassen, und
ich habe meinen besonderen Sinn für die Erdformen verloren. Von einem Moment zum anderen
waren meine Räume nicht mehr benennbar, auch
nicht mehr benennenswert.« Dann konnte er die
Stimme erheben und sagen: »Hören Sie mich an.
Ich möchte nicht zugrunde gehen. Im Augenblick
des großen Verlusts hatte ich den Reflex der
Heimkehr, nicht nur in ein Land, nicht nur in eine
gewisse Gegend, sondern ins Geburtshaus zurück;
und wollte doch immer weiter in der Fremde bleiben, mit ein paar Leuten um mich, die nicht zu
nahe wären. Ich weiß, daß ich kein Bösewicht bin.
Ich will auch kein Außenseiter sein. Ich sehe mich
in der Mitte der Menge gehen und glaube, gerecht
zu sein. Ich habe freundliche Träume sogar von
denen, die mir den Tod gewünscht haben, und

spüre oft die Kraft zu einer bleibenden Versöhnung. Ist es vermessen, daß ich die Harmonie, die Synthese und die Heiterkeit will? Sind Vollkommenheit und Vollendung meine Zwangsidee? Ich erlebe es als eine Pflicht, besser zu werden: besser ich selber zu sein. Ich möchte gut sein. Manchmal habe ich das Bedürfnis nach Sündigkeit und werde andererseits verfolgt von der Idee der Bestrafung; und dann wieder gibt es das Bedürfnis nach Ewiger Reinheit. Ich habe mich heute an eine Erlösung erinnert: dabei ist mir aber kein Gott in den Sinn gekommen, sondern die Kultur. Ich habe keine Kultur; und ich habe so lange keine Kultur, als ich nicht ausruffähig bin; solange ich mich beklage, statt streng zu klagen. Ich will kein im Jammer Verschwindender, sondern ein mächtiger Klagekörper sein. Mein Ausruf ist: Ich brauche dich! Aber wen rede ich an? Ich muß zu Meinesgleichen. Aber wer ist Meinesgleichen? In welchem Land? In welcher Zeit? Ich brauche die Gewißheit, ich selber zu sein und für andere verantwortlich zu sein. Ich kann leben! Ich spüre die Macht, zu Sagen, wie es Ist, und möchte doch gar nichts sein und gar nichts sagen: allen bekannt sein und niemandem, durchdringend Lebendig. Ja, ich fühle ein zeitweises Recht auf den Weltraum. Und meine Zeit ist Jetzt; jetzt ist Unsere Zeit. Ich erhebe also Anspruch auf die Welt und dieses Jahrhundert – denn es ist meine Welt und mein Jahrhundert.«

Sorger sah sich den Kopf bewegen wie ein komisches, aber auch stolzes Tier (und zugleich die Ellbogen pumpen in dem kläglichen Versuch eines Flügelschlags), hatte nach seiner langen Rede Lust auf etwas »Süßes« und bekam von der Hausfrau einen »Strudel« vorgesetzt. Er wünschte, dazu Musik zu hören, und ließ sich dann von den Nachbarn deren Geschichte erzählen. Sie begannen, wohl um sich als seine Verbündeten zu zeigen, mit den verschiedenen Unglücksfällen, kamen aber bald davon ab und beschrieben ihm schließlich, wobei aus der ruhigen Erzählung allmählich ein aufgeregter Dialog wurde, mit verteilten Rollen, einander immer wieder ins Wort fallend, wie sie ein Paar geworden waren. Sorger bedankte sich für das »warme Essen« und sagte noch: »Bitte vergessen Sie mich nicht.«

Im nachhinein, beim Weggehen (er ging ohne Entschluß auf dem kürzesten Weg durch den Wald zum Strand), fiel ihm auf, daß die beiden über seinen letzten Satz gelacht hatten, nicht nur entkräftend, sondern zugleich auch ein bißchen erschrocken, als spaße man über solche Dinge nicht; und so fügte er jetzt im stillen hinzu: »Ich möchte bald wieder unter Ihrem Lampenschirm sitzen.«

Die Nacht war warm, ohne Nebel. Mit Vergnügen spürte er, noch zwischen den Bäumen, den Meeressand unter den Füßen. Laubschwärme wehten durch den Nadelwald, blieben in den Gräsern hängen wie an einem Drahtzaun und erwiesen sich als getrocknete Algenfetzen. Ein Fahrradgeräusch im Sand kam von einem laufenden Hund. Der Wind in den eher zwergenhaften Kiefern sauste wie im Hochwald. Sorger hatte im Gesicht ein Gefühl der Luft, als sei das die wiedergefundene Wirklichkeit, und als wehe ihn diese als Glücksluft an.

Dem um einen Dünenvorsprung wie um eine Gebäudeecke Biegenden rauschte unvermutet das Meer entgegen mit einer weißen Brandungswelle, deren Gischt, hoch in den Nachthimmel emporgeschleudert, dort einen Augenblick lang zu stehen schien und dann erst, zwischen schon wieder neu aufschießendem hellerem Schaum, mit im Fallen sich bräunlich färbenden Flocken nach allen Seiten hin zu Boden schwebte. Gleich danach zog sich der Ozean, mitsamt dem Mond und den über den Wellen hängenden Möwen, in sein bekanntes Bild zurück, und Sorger ging die Wasserebene ab, deren krachendes Getöse wie Industriegeräusche waren. Er vermied jeden Blick darauf, schaute nur noch auf seine Füße, die tief unter ihm, wie aus der Vogelschau, über die Sandfläche stapften. »Schließ die Pforten deiner Sinne.«

Er fing zu laufen an; lief eine Zeitlang blicklos; ging dann wieder, mit geschlossenen Augen, immer langsamer. Jetzt fuhr durch die Brandung hindurch eine Straßenbahn, mit einem altmodischen

Quietschen in den Schienen. Dem Weitergehenden verwandelte sich, zunächst mit dem Rumpeln eines Leiterwagens, der Meereslärm in die Geräusche seiner Vergangenheit. In einem ratternden und sirrenden Sägewerk wurden Bretter abgeladen und knallten aufeinander; und Möbelpacker gingen achtlos mit schweren Sachen um. Die Geräusche waren nicht gleichmäßig; es ergab sich dazwischen oft eine wie auf Dauer eingerichtete, fast wonnige Stille, aus welcher nur die kleinen Laute eines in sich gekehrten Haushalts herauszuhören waren: beim Kochen sich hebende Milch, siedendes Wasser, das Klicken von Stricknadeln, und an einem Eimer fiel jetzt der Bügel herab. (Es war, als könnte das Meer in einem Topf gesammelt werden.) Dann sprang jemand in ein Schwimmbecken, und eine Ohrfeige klatschte. Im anschwellenden Straßenlärm knallte es dumpf, worauf ein Körper zu Boden schlug. Auf einen Milchstand wurden Kannen geladen. Kurz das Rasseln von Weihrauchfässern; dann Manövergeschrei. Panzergedröhn; Splittern und Krachen; kurze Zeit herrschte Krieg. Nachher die Stille des Friedens; oder? Vor dem die Augen öffnenden Sorger streckte sich über dem Meer bis zum Horizont ein weiter antiker Säulenraum.

Hinter den letzten Säulen ging gerade der Mond unter, und für ein paar Augenblicke, ganz kurz, gab es dort einen Monduntergangshimmel, mit einem von unten angeleuchteten Wolkenfeld, in der Farbe von Eisenblüten; dann war der Himmel wie überall schwarz, nur die Sterne flimmerten vage im Wellendunst.

Sorger spürte das Meer in seinem Hinterkopf, der eine große, sehr kalte Stelle wurde. Die Schaumkämme waren schneeige Bergketten. Die Luft trug ihm Brandgeruch zu, und er hatte erstmals an der Küste ein Herbstgefühl. Meeresherbst und Säulenraum: die Welt wurde wieder alt. Er stand in der Jahreszeit wie angekommen. Sein Körper wurde fühlbar an der dreifachen Grenze zwischen Erdreich, Wasser und Luftraum, und seit langem wieder erlebte er, als ein ungebärdiges Aus-der-Brust-Hinauswollen, Sehnsuchtskraft; und zugleich freute er sich aufs Bett.

Er lief zu dem Haus zurück. Im leeren Schlafraum des anderen Hauses waren wie üblich schon seit dem frühen Abend die Bettlampen an. Die Nachbarn saßen im Halbdunkel des Wohnzimmers, und der Mann hielt die Finger der Frau. Der Fluß der Wiederkehr: in der Wärme des Blutkreislaufs näherte sich, zuckende Glätte, die Indianerin. Eine Müdigkeit ergriff ihn, in der er nur noch im Dunkeln liegen und hören wollte. Eine Uhr tickte, als kratze sich eine Katze am Hals; und dann schnurrte das Gefilde von dem schwarzweißen Fabeltier.

Sorger legte sich hin und wartete, während das

Licht des Leuchtturms von »Land's End« gleichmäßig in das Zimmer blitzte, ohne Ungeduld auf die Ideen der Träume. Er wagte sogar, an sein Kind zu denken – was ihm in all den Jahren unmöglich gewesen war: beim ersten Versuch schon war der Kopf zu Stein geworden. Jetzt fühlte er die Schwere nur auf dem Gesicht, in dem sich eine heiße Faust schloß. Dieses Selbstmitleid war ihm aber recht: denn es wurde dabei der Wunsch nach einem Glauben spürbar, der ihm eine Form gäbe, länger als bloß jähe Momente an das Geliebte zu denken. »Wenn ich es wiedersehe, werde ich es anbeten.«

Dankbar zog er die Decke über sich. Kinder und Frauen waren es, die ihn wirklich machten. Im Schlaf stieg eine Schaumgeborene aus dem Meer und legte sich neben ihn. Die ganze Nacht lagen sie still nebeneinander; Augen auf Augen, Mund auf Mund.

»Einige Sonnenaufgänge später« (so erschien ihm dann tatsächlich diese letzte Zeit an der Westküste) sah sich Sorger im Schein eines immer noch herbstlichen Morgens beim Packen des Koffers. Die Abreise nach Europa stand bevor. Das Haus war fast leer, ohne Vorhänge und Teppiche; in dem einen Raum standen noch ein Tisch aus Holz und der Klappstuhl, in dem anderen das in die Diagonale verschobene Bett. Sorger hatte vieles weggeworfen, einiges hergeschenkt; in den Koffer kamen, neben die sorgfältig geschichteten Foto- und Feldbücher der letzten Jahre, die paar täg- lichen Dinge, die ihm auch lieb waren. Er zog sich schon für die Reise an, mit einem alterszer- schlissenen Leinenhemd, das sich wohltätig um die Handgelenke legte, einem feierlich blauen »eu- ropäischen« Kammgarnanzug, dessen Hose in den Kniekehlen leicht anlag, und dünnen Woll- socken, die ihn von unten herauf gleich freundlich erwärmten; sein Schuhzeug waren die Schnürstie- fel aus dem Norden. An sich herunterschauend, hielt er eine Dankesrede an seine treuen Klei- dungsstücke.

Die Luft war frisch und klar: »Schöner Morgen, amerikanischer Morgen!« Die Sonne schien durch das ausgeräumte Zimmer auf den Fußboden wie in den Salon eines Schiffs, und der Passagier las ne- ben dem fertigen Koffer die letzte Post. Er schaute dabei immer wieder zum Nachbarhaus hinüber, wo in allen Zimmern Bewegung war: die Kinder bereiteten sich für die Schule vor, der Mann für das Büro. Bei aller Hektik zeigte die Familie zwi- schendurch eine vollkommene Beschaulichkeit: der Mann verharrte über seine Akte gebeugt, die auf einem kleinen Schrägpult wie ein Meßbuch aufgeschlagen war; die Frau nippte mit einer bei- nahe grotesken Zierlichkeit am Tee; und die Kin- der, die Schultaschen schon auf dem Rücken, waren in einen auf dem Tisch sich drehenden Kreisel vertieft.

Lauffer schrieb: der Strom sei zugefroren. Er habe zunächst außer Haus eine wollene Gesichtsmaske getragen, folge inzwischen aber dem Beispiel der Indianer und gehe sogar mit offenem Hemd. Seine Abhandlung komme ihm »immer phantastischer« vor (jede Nebenmöglichkeit – der er sich verpflichtet fühle zu folgen – erweitere sich ins Endlose). Er sehe sich in Idealkonkurrenz mit Sorger: dieser sei auf Entstofflichung aus, er aber auf Stoff-Fülle; so sei sein Problem zuviel »Sprache«, Sorgers Gefahr aber die »Sprachlosigkeit«. Die Katze werde »immer unnahbarer und königlicher«: ihr erstes Wort stünde unmittelbar bevor.

Wolken, zu denen er nicht aufschaute, zogen den Reisefertigen mit, während er, dann in einem Buch lesend, am Tisch saß; die Wipfel der Kiefern schwankten wie schon anderswo. Zugleich gingen die ganze Zeit hinter seinem Rücken Leute hin und her, die, von einer Maklerin geführt, das zum Verkauf stehende Haus besichtigten, ohne daß er sich ein einziges Mal nach ihnen umschaute.

Gegenüber bewegte sich inzwischen nur noch die Nachbarsfrau durch das Haus. Sie hatte weiße Tücher über dem Arm, die aufleuchteten, wenn sie die Stellen durchquerte, wo die Sonne hinschien. Einmal sah sie ihn und winkte, weder verlegen noch scheu, mit einer Bewegung, als sei er schon weit weg; schien ihn und auch sich dann zu vergessen in einem Spiel, das sie von einem Raum zum andern mit sich selber spielte.

Er las in dem zweitausend Jahre alten Welterklärungsversuch eines römischen Naturforschers, in dessen Sprache noch das »Milde, das Übergängliche« eines Gedichts war. »Also kann die Materie, die aus festem Körper besteht, ewig sein, während das übrige sich auflöst.«

3. Das Gesetz

Ein tieferes Dröhnen, und Todesferne im Flugzeug. Es war auch im Innern ein Flug. Wie leicht fiel es zu sprechen; wie leicht war überhaupt das Leben. Eine Augenblicksidee: »Mit mir fängt etwas Neues an.« Die Westküstenstadt entfernte sich schnell unten auf der Landzunge.

Das Flugzeug flog mit der Zeit, und es war, als komme mit ihr allmählich die Phantasie der Tagträume, »wechselnd wie Mondesblicke«. Bei der Zwischenlandung in der Stadt, die, am Ostfuß des Felsengebirges gelegen, sich »Mile High City« nannte, schneite es. Sorger, eigentlich für den Weiterflug gebucht, nahm den Koffer, stieg aus und fuhr auch schon in einem vollen Bus auf einer schneeverwehten Überlandstraße durch eine leere Gegend, in der er noch nie gewesen war.

Die Flocken stießen leicht gegen die Scheibe vorn und flogen wieder weg. Die Tagträume leuchteten tiefer und tiefer. Innerlich über die eigenen Grenzen treiben: das war seine Art, an andere zu denken. Er dachte sie nicht eigens herbei, sondern sie kamen ihm, indem er frei phantasierte, allmählich in den Sinn.

In der Ferne stand bewegungslos ein schneebedecktes Pferd neben einer abgestorbenen Weide, deren Stamm schief in das Erdreich gesunken war.

Das Reißverschlußziehen an den Anoraks der Schulkinder, die als erste ausstiegen: Schnee kam durch die offene Tür, der selbst auf den warmen Händen erst nach einiger Zeit zu schmelzen begann; und der Bus war bald still von Erwachsenen.

Im Tagtraum erschien dann ein Gesicht, mit runden, weit auseinanderstehenden Augen, von denen die Runzeln wie Strahlen ausgingen. Jetzt war Sorger sicher: er würde in der kleinen Gebirgsstadt, wo der Bus hinfuhr, für eine Nacht ein Hotelzimmer nehmen und den Schulfreund überraschen, der dort Schilehrer war.

Er hatte von ihm das Bild, wie er ihm, in einem Sommer an der Westküste, zuletzt begegnet war: die Nacktheit seines Gesichts, in dem der Mund offenstand wie in der Schulzeit, mit einer Unterlippe, die er unablässig vorschob, auch wenn er nicht redete; während beim Sprechen aber die Wörter daraus hervorkamen wie kleine Werkstücke.

Auch in der Ruhe sah der Schilehrer angestrengt aus, als versuche er ständig, etwas genauer zu verstehen. Er redete überlaut, wurde aber nie ganz deutlich. Oft äußerte er sich nur in Ausrufen, bei denen seine Stimme geradezu ängstlich klang. Denen er vertraute, stellte er die letzten Fragen und erwartete auch eine endgültige Antwort. Wurde ernsthaft versucht, ihm diese zu geben, so verwandelte er, ein stolzer Mensch, sich sogleich in des anderen Diener: so besuchte er in den Sommermonaten, wenn er ohne Beruf war, in der Welt nicht seine »Freunde«, sondern seine »Herren«, denen er dann bei den kleinsten Hausarbeiten mit Eifer zur Hand ging. Er hatte keine Kinder und wartete, seit Jahrzehnten, auf die Frau seines Lebens (die er genau beschreiben konnte); doch auch die Frauen, denen er zunächst gefiel, waren nachher nur über ihn erstaunt.

Sorger, in seinem Tagtraum, sah ihn als einen, der wegen seiner Unschuld verachtet wurde, und stellte sich vor, ihn gleich bei der Begrüßung zu umarmen; er sah den dicken Hals des Schilehrers, seinen breiten Silbergürtel und die dünnen Beine, zwischen die er im Sitzen immer die Hände versteckte. Die Dämmerung senkte sich in den fahrenden Bus, der Adamsapfel des Schilehrers ruckte, Hartgrasbüschel rollten über die Schneefläche, und die vertrockneten Blätter eines Maisfelds standen waagrecht im Wind.

Der Bus fuhr dann durch eine Landschaft, wo noch kein Schnee fiel, und es war, als ereignete sich da auch sonst nichts. Später fing es auch hier zu schneien an, stiller, mit größeren Flocken. Die Berge mit ihren Schwemmhalden verschwanden, und nur noch das nähere Brachland war sichtbar, mit einer vereinzelten Herde von Büffeln, welche Atemdampf aus den Nüstern stießen und an gelb-

lichen Grasspitzen rupften; von den langsam da-
hinrollenden Autos, die wie zu einer besonderen
Fahrt unterwegs waren, wehten weiße Fontänen
darüber hinweg, während den Hinterreifen auf
der Straße schmutzige Schneebrocken nachroll-
ten. Auf der sonst menschenleeren Strecke tauchten nur zuweilen die vereinzelten Gestalten von
Läufern auf, bis Sorger sich schließlich vorstellte,
daß da welche für einen Weltkrieg trainierten.
Schneebrocken lagen auch auf dem Boden des Ho-
tellifts. Das Hotel war einem europäischen Alpen-
gasthof nachgebaut, mit einem Holzbalkon, um-
malten Fenstern und einer Sonnenuhr. In seinem
getäfelten Zimmer, tief unten die Lichter der
großen Ebene, las Sorger die Zeitung mit den in
den Titel eingezeichneten Berggipfellinien. Beim
Durchblättern sah er sofort den Namen des Schul-
freundes. Er schaute hin: es war die Seite mit den
kleinen Todesanzeigen. Gedankenlos las er noch
die nächsten Namen weiter und hörte aus der Du-
sche ein Sausen.
Die Anzeige für den toten Schulfreund war aufgegeben von der Schischule: er war ein »langjähriges
Mitglied«; sonst wurden nur Ort und Öffnungs-
zeiten des Beerdigungsinstituts mitgeteilt, das hier
»Kapelle« hieß.
Sorger ging gleich zu dem längst geschlossenen
Institut, das ein giebelloses Reihenhaus war, und
schaute von der Straße durch Schleiervorhänge in

die beleuchteten leeren Vorräume hinein: Steh-
lampen mit Stoffschirmen auf dunklen kleinen
Tischen; auf dem einzigen größeren Tisch, in einer Sitznische, ein gläserner Aschenbecher; daneben ein elfenbeinweißes Telefon. Das Gebäude
hatte zwei Stockwerke, mit einem Lift für die
oberen Etagen; die Kabine, ebenfalls beleuchtet,
stand leer unten im Erdgeschoß. An der Hofseite
fand Sorger ein Portal, dessen Türflügel sehr breit
waren und außen keine Klinke hatten. Es war
windig und kalt. Die Scheibenwischer der Autos
kratzten wie Schaufeln. Die eigenen Schritte
im harten Schnee erinnerten an Mähgeräusche
im Wiesengras. Dann hörte er das Näseln der
Westerner-Stimmen und wußte wieder, wo er
war.
Er kam ins Hotel zurück mit vom Schnee tauber
Haut. Im Gesicht schmerzten die Knochen. Er
trank und wurde fröhlich; hielt das Weinglas mit
beiden Händen wie eine Schüssel und bleckte die
Zähne.
In der Nacht träumte er von dem Toten. Sie
gingen zu zweit über das Land. Doch der Schilehrer wurde unförmig und verschwand, und
Sorger erwachte neben niemandem. Er sah den
anderen, der eine blaue Schürze trug; seine
Augen waren mit spiegelndem schwarzen Lack
versiegelt. Danach dachte Sorger wunderbar
Sinnloses und schlief wieder ein, voll Sehnsucht

nach einer erfundenen Welt, welche die wirkliche, diese durchdringend, in Erfindung aufhöbe.

Am Morgen leuchtete die Sonne in einem leeren Uhrkasten aus Holz, der in der Zimmerecke stand. Sorger besuchte den Leichnam im Aufbahrungsraum. Der Schilehrer lag wie eine Puppe im Sarg. Die Lidfalten zogen sich als Kerben seitlich in die Schläfen hinein; ein Auge war nicht ganz geschlossen und glitzerte. Er trug die Wollmütze, mit der er fast immer gesehen worden war, mit der Aufschrift »Heavenly Valley«; um den Hals ein Amulett aus Türkis.

Sorger stand auf dem Gehsteig vor dem Gebäude. Der Portier des Instituts ging in einer Livree mit Messingknöpfen vor dem Portal auf und ab; überall auf der Straße rauchten seine weggeworfenen Zigarettenstummel. Über ihnen hing das Sternenbanner; daneben wehten die Triebe einer dunkelgrünen Hängepflanze die Hauswand entlang. Eine große Kabelspule wurde vorbeigerollt. Deutliche Wolken türmten sich über dunstigen anderen, nah und zugleich fern.

Außerhalb des Ortes nahm er eine Seilbahn, die in die Berge hinaufführte. Die Kanzel schwankte auf einmal von den Zusteigenden, an denen die Schischuhe knackten wie brennende Holzscheite. Dann gab es auch in dieser Menge die guten Gesichter. Draußen auf dem Schneefeld liefen Kin-

der, die, wenn sie stürzten, aufstanden, weiterliefen, sich wie liebliche Räder bewegten.

An der Bergstation ging Sorger zunächst hinter einer Gruppe von Unbekannten her, nur weil die allesamt gleich helle Pelzmäntel trugen, setzte dann
aber seinen Weg allein fort. Seit dem Schneefall
war niemand hier gegangen. Es war warm, doch
nirgends floß Schmelzwasser. Der Schnee lag
hoch, dabei so locker, daß oft noch das Erdreich
durchschien.

Er stieg, bis nichts mehr zu hören war. Hinter einem Sattel erblickte er die eigentlichen Felsen-
berge; sie waren düster rot-gelb, und eine weiße
Wolkenbahn zog langsam hinter ihnen vorbei. Er
rannte den Hang hinauf, bis sein Gesicht von
Baumnadeln verklebt war, und blieb dann stehen
wie in einem verbotenen Bereich. Keine Vogel-
stimme; nur die immer noch fernen, indianischen
Gestalten der Gebirgskuppen. Vor ihm, am Rand
eines tiefen Grabens, ragte eine einzelne Bergkie-
fer auf; daneben wuchs Eichengebüsch, zwischen
dessen trockenen Blättern Flocken hervorstoben.
In dem Baum, ohne daß da etwas sichtbar wurde,
ertönte jetzt ein Geräusch: ein feines, dabei deut-
liches Schwirren, das kurz andauerte und dann,
nach einer Stille, sich wiederholte. Nach einer
Weile erklang das Schwirren ein drittes Mal: aber
nicht mehr aus demselben Baum, sondern von einer entfernten, ebenfalls einzeln stehenden Kiefer

weit unten im Graben. Im nächsten Moment landeten in beiden Bäumen, senkrecht von oben, Schwärme kleiner weißbäuchiger schrillsingender Vögel.

Sorger stand im tiefen Schnee wie in zusätzlichen Stiefeln und schaute in die gelbdunstige große Ebene hinab, die sich vom Fuß der Berge über Tausende von Meilen nach Osten erstreckte. In dieser Landschaft würden nie Kriege ausgetragen werden. Er wusch sich mit dem Schnee und begann eintönig zu pfeifen. Er steckte den Schnee in den Mund, pfiff aber nur noch lauter. Er hustete, und schließlich schluchzte er. Dann senkte er den Kopf und beweinte den Toten (und die anderen Toten).

Aufschauend glaubte er zu sehen, wie diese gewaltig über ihn lachten. Er lachte mit ihnen. Die Gegenwart loderte, und die Vergangenheit leuchtete. Er empfand einen tiefen Genuß bei der Vorstellung seines Nicht-mehr-vorhanden-Seins und hatte ein Bild von Uferdickicht. »Keine Ekstase!« (Nie mehr Ekstase.) Um diese zu bezwingen, suchte er im Gelände nach einem Anhaltspunkt. Im besonnten Graben bildete der Schnee eine schimmernde Furche: die schönste Frau, die er je gesehen hatte. Ein unwillkürlicher Schrei, und aus einem Gebüsch kam sogar ein kleines Echo zurück. Schwermut und Geilheit erfaßten Sorger.

Bei der Rückfahrt zur meilenhohen Stadt wieder die quer durch das Brachland über den gefrorenen

Schnee rollenden Hartgrasbüschel. In der kahlen Ebene ein einzelner Busch, der einen übergroßen Schatten warf. Inständige Erwartung. Aber auch wenn nichts sich ereignete, wäre es das Erwartete. So konnte man spielen, daß alles (gut) möglich sei, und aus einem sinnlos-Lebendigsein wurde, wie aus dem Erdbeben der menschliche Tanz, das Sinnspiel.

War niemand anderer in dem Nachtflugzeug, das dich dann spätabends weiter nach Osten brachte? Deine Sitzreihe war leer, und die Lehnen davor standen aufrecht und dunkel in einem von der Decke der Kabine widerscheinenden Dämmerlicht. – Das gleichmäßige Brausen in dem tiefen, halbschattigen Gehäuse wurde zu einem Stimmungsgeräusch, das dem Passagier die Verbindung mit der Vergangenheit der letzten Stunden erhielt. Er dachte an »seine Leute« und machte Pläne, sie bald zu treffen; er wollte nie mehr zu spät kommen. Durch den toten Schilehrer war Sorger die Familie, aus der er selber stammte, wieder im einzelnen leibhaftig geworden. Einstmals hatte er sich für Bruder und Schwester verantwortlich gefühlt. Es war zwischen ihnen sogar eine Zusammengehörigkeit gewesen, wo sie, noch jetzt in der Erinnerung, eine Kreisform bildeten. Sie hatten kaum mehr die Gelegenheit zur gemeinsamen Sprache (die sie dabei nicht verloren, aber

nur noch als Gedächtnisspiel rezitierten). Beim
Tod der Eltern – so sah es der Phantasierende, dem
zugleich die Lichter der Siedlungen tief unten in der
Ebene als Friedhofsalleen und dann als Sternbilder
erschienen – hatten sich die Geschwister zum ersten Mal überhaupt umarmt und waren hernach
für die kommenden Jahre voreinander verstummt:
zuerst gleichgültig, und mit der Zeit sogar feind-
selig. Einer hielt den anderen für verloren. Wenn
die Geschwister ihm in den Sinn kamen, geschah
es in der ruckhaften Vorstellung einer Traueran-
zeige (und auch sie, so glaubte er zu wissen, erwar-
teten von ihrem Bruder nur noch die Todesnach-
richt). In seinen Träumen traten sie freilich fast
immer auf, redeten da zuweilen auch miteinander,
wie sie es in Wirklichkeit nie getan hatten; lagen
meist aber nur als bösartige, nicht zu entfernende
Kadaver im Geburtshaus herum. Weil sie nie ausdrücklich Feinde geworden waren, gab es nicht einmal die Möglichkeit, sich zu versöhnen.
Sorger stellte sich nun auch nicht vor, es könnte
mit ihnen »wie früher« werden. Er wollte nur so
klar sein wie jetzt, da die Außenwelt zum lebendi-
gen Raum hinter seiner Stirn geworden war: vielleicht wäre eine neue Umgangsform dann das
Selbstverständliche. Er sah auch die übrigen Dorf-
bewohner, die er bis dahin in der Regel bloß als
eine schadenfroh auf sein Ende wartende Gruppe
hatte sehen können, und wußte nun das Gegen-

teil: sie hielten seit jeher zu ihm, der sich entfernt hatte, und gaben ihm recht.

Er schrieb den Geschwistern Gedankenbriefe und setzte dem Geschriebenen ein freundliches Schimpfwort hinzu. Frage: »Sind diese Pläne nicht zu ausgedacht?« Und die selbstgewisse Antwort: »Ich muß sie nur wahrmachen.«

Das Flugzeuggeräusch veränderte sich. Die Stimmung verließ den Reisenden; und dieser sprach im stillen weiter (setzte beim Denken jedes Wort, als schriebe er es): »Und? Wenn es kein allgemeines Gesetz für mich gibt, werde ich mir nach und nach ein persönliches Gesetz geben, an das ich mich halten muß. Noch heute werde ich den ersten Satz dazu finden.«

Wolkenschwaden pufften am Fenster vorbei, und dann tauchte am Rand des Blickfelds aus dem Morgengrauen die Stadt der Städte auf, wie verbrannt und hier und da noch schwach glimmend, während das landende Flugzeug seine Schleife über das Meer zog, das leer und stürmisch war und über dessen Dunst die Sonne aufging. Als die Räder die Piste berührten, gingen in der Kabine die Lichter an, und vor den Lehnen wurde geklatscht; der Landung oder der Stadt? So erfuhr Sorger, daß er nicht allein unterwegs gewesen war.

Beim Aussteigen ging vor ihm ein Mann, der ihm vertraut vorkam. Der andere drehte sich um, sie

grüßten einander und merkten erst dann, daß sie
doch nicht Bekannte waren. Am Ausgang stellte
der Fremde, mit einer gemessenen Verbeugung,
sich Sorger in den Weg und lud ihn ein, mit ihm
ein Taxi zu nehmen. Dabei zeigte sich, daß sie aus
demselben Land stammten. »Eigentlich habe ich
gleich weiter nach Europa fliegen wollen«, sagte
Sorger. Aber dann folgte er dem Mann, als gehöre
das schon zum Gesetz. Im Taxi schaute er hinauf
zu den entspannten Gesichtern in den daneben
fahrenden Bussen und dachte: »Eigentlich wäre
ich lieber...« Der Mann schaute ihn unverwandt
an und sagte: »Verzeihen Sie. Haben Sie bitte Zeit
für mich. Ich brauche Ihren guten Willen. Sie sehen so verfügbar aus.«
Sie trennten sich in der Stadt, wo überall die Läufer keuchten, und es war vereinbart, sich später
wiederzusehen. Beim Versuch, sich ihn vorzustellen, sah der unausgeschlafene Sorger nur einen an-
gebissenen Apfel in der Hand des Mannes, wo es
aus dem Kerngehäuse schimmerte.
Sonst hatte Sorger es immer nötig, sich in einen
Ort »einzuarbeiten«, um dort mit der Zeit am
Platz zu sein. In dem Weltstadt-Hotel fand er sich
aber sofort beherbergt. Sein Zimmer war ein Eck-
raum in einem turmartig sich verjüngenden Gebäude und hatte zwei Fenster, eins nach Westen,
das andere nach Süden. Westlich ging der Blick
auf den großen, in die Stadtmitte eingesenkten

Park mit dem See, der das Trinkwasser speicherte, und ruhte dort – während der Blick nach Süden über eine dicht verschachtelte Dächerfläche, unter der das Straßennetz unsichtbar blieb, gleich weg zum Horizont sprang. Diesen verriegelten von einem Ende zum anderen die himmelhohen Geschäftsgebäuderiesen, und es war, als finge die eigentliche Metropole in diesem Fernblau erst an. Die verschieden farbige Flachdachgegend der kleineren Wohntürme davor erstreckte sich als eine Landschaft für sich, von der die hupenden, doch in den Straßenschluchten versteckten Autos in der Tiefe viel weiter entfernt schienen als die zahlreich darüber hindröhnenden Flugmaschinen. Vom Westfenster und der Wasserfläche wegschauend, sah der Betrachter dieses geschlossene System in einem sekundenlangen Traum als eine stillgelegte Fabrik. Auf dem See streiften Möwen die hellgraue Oberfläche; im anderen Fenster zeigten sich, viel niedriger als die umgebenden Hochbauten, die beiden Türme einer Kathedrale, und Sorger spürte seine Müdigkeit, die gerade noch Erschöpfung gewesen war, als Selbstbeherrschung und Stärke. Er sah deutlich das Gesicht des Fremden, mit Wangen, als seien da alle Muskeln ineinander verkrampft, mit einer Haarsträhne, die in die Stirn schnitt und in die Unterlippenkerbe sich gleichsam fortsetzte, und hörte seine springende, einmal hohe, dann tiefe Stimme, als suche er die

richtige Stimmlage. Die strengen Linien der Hoch-
häuser, das Glänzen der Flugzeuge, das Jaulen der
Polizeisirenen, das wie ein Lassowerfen war: Im
Zimmer war ein Ziehen, das von der ganzen Stadt
kam.

Es war mehr ein Mietshaus als ein Hotel für
Durchreisende. Viele Leute wohnten da auch für
längere Zeit, oft mit ihren Familien. Während der
Neuankömmling (vergessen das Bedürfnis zu
schlafen) von einem betreßten Liftführer in die
Halle hinuntergefahren wurde, stiegen von Stockwerk zu Stockwerk Erwachsene zu und Kinder
(mit geknickten Knien), welche in verschiedenen
Sprachen durcheinanderredeten, bis Sorger – die
Abfahrt hatte lange gedauert – schließlich als »einer aus der Liftgesellschaft« auf die Straße trat
und im Schwung der anderen seiner Wege ging.

Er hatte Zeit und konnte Umwege machen. Aus
der Schlaftrunkenheit formte sich im Gehen in der
Sonne ein erotisches Selbstbewußtsein. War es
Müdigkeit, daß, bei jedem Umweg stärker, viele
Orte als Wiederholung erschienen, mit blitzend
sich weitenden Zwischenräumen?

Sich solcherart auf den Unbekannten vorberei-
tend, bog er langsam in den Park ab und blieb vor
einem der Granitblöcke stehen, die wie Flügelen-
den vergrabener Flugzeuge aus der Grasfläche
ragten. Aufschauend sah er dann in einer weiten,
noch schattigen Mulde zwischen zwei Hügeln die

Leute vorbeigehen wie die Indianer im Hohen Norden: und in dieser unablässigen Prozession zeigten sich jetzt sprunghaft die Inbilder seiner Verstorbenen. Diese ergaben sich nicht aus Ähnlichkeiten, sondern es genügte, sich in die kreuz und quer gehenden Weltstadtmassen zu versenken, und hier und da, in einer kleinen Geste, einer Wangenlinie, einem schnellen Blick, einem Stirnband, erweiterte sich das Bild ganz selbstverständlich, ohne Traum oder Beschwörung, zu den Abgeschiedenen hin, die die allgemeine Lebensbewegung jedoch nicht (wie oft in den Träumen) hemmten, vielmehr erst entzündeten und neu entfachten. Anders als sonst eine Landschaft bewegte die Weltstadt für den Betrachter dessen »eigene Leute« mit, nicht nur die lebenden, auch die toten, die hier in den Gehenden wieder auferstanden.

Seine Toten sehend, wie sie gelenkig in der Menge gingen, rieb der Überlebende unwillkürlich die Hände an den Granitrillen, aus Freude über das Neubegreifen der Zeit, welche er sich nur als feindliche hatte denken können. Hier bedeutete sie nicht mehr Verlassenheit und Zugrundegehen, sondern Vereinigung und Geborgenheit; und einen hellen Moment lang (den er wann wieder verlieren würde?) stellte er sich die Zeit als einen »Gott« vor, der »gut« war.

Ja, er hatte das Wort, und die Zeit wurde ein Licht, das in der Mitte der Stadt in dem Glaskörper einer von der Morgensonne beschienenen Parklaterne aufstrahlte. Das dicke, trübe, staubige Glas, in dessen Innern der von der Sonne vergrößerte Schatten der elektrischen Kerze stand, glänzte im Stadtdunst, ließ sich so sehen und führte weiter zu den vorbeilaufenden Hunden: von diesen zu einem bunten Kleiderhaufen, der in der Gabelung eines kleinen Baums steckte: von diesem zu den darunter in der Sonne ballspielenden Kindern und dem noch schattendunklen Ball zwischen ihren Füßen.

Wie ein Urweltmensch ging er weg, um auch woanders an dem auf jedem Gegenstand neu beginnenden Tageslicht teilzuhaben. Der Augenkörper eines Entgegenkommenden erschien mit einem schimmernden Metallkoffer und dem blassen Mond verbunden zu einem Dreieck. Das Licht wurde zu viel. – Wie allein, und ohne die Verbundenheit mit der einordnenden Schwerkraft der Naturformen, den Leichtsinn und die Folgenlosigkeit der Ekstase vermeiden?

Er betrat einen Coffee Shop und las Zeitung. Es gab da eine Wetterkarte, wo die einzelnen Regionen des Landes nur »Bitterkalt«/»Schneeschauer«/»Mild«/»Dunstiger Sonnenschein« hießen, die, indem er sich darin vertiefte, in dem Tassengeklirr und der leisen Radiomusik zu einem heimeligen spätherbstlichen Kontinent zusammenrückten, in dessen größter Stadt er wie ein alteingesessener Bürger »Kaffee trank« und »Zeitung las«: hier vollzog Sorger, mit dem Blick auf die sonnendurchschienenen Busse draußen, in denen die auf Längsbänken sitzenden, nur von hinten sichtbaren Passagiere als verschiedenfarbig glänzende Haartrachten vorbeikutschiert wurden, seine zweite, zukunftsgewissere Rückkehr in die westliche Welt. Damit begann der Raum, in dem er gerade war, wichtig zu werden.

Der Coffee Shop war sehr schmal, mit einer einzigen Sitzreihe, die aber tief wie in einen Tunnel hineinführte. (Am Ende des Schlauchs war eine Leuchtschrift: »Women/Water«.) Gerade vor dem großen Frontfenster befand sich der Zugang zur Untergrundbahn, und zwischen den Passanten, die sich draußen in der Horizontalebene vorbeibewegten, verschwanden immer wieder welche ruckartig, wie die Treppenstufen zur Subway, seltsam schräg nach unten aus dem Bild oder stiegen gleicherweise, wobei zuerst die Köpfe sichtbar wurden, in dem Fensterviereck empor.

Sorger hatte im Rücken die nicht immer akzentfreien, doch auch mit Akzent so selbstgewissen Weltstadt-Stimmen und bemerkte draußen auf der Straße die auffällig vielen Kinder, was gerade hier zunächst verwunderlich war. Ein Kind kam herein und wollte etwas kaufen, was es nicht gab. Sorger hörte, wie das Kind seufzte. In diesem Augenblick redete jemand hinten an der Kasse, einen

Scheck ausfüllend, laut mit und nannte den Tag, und dabei (sämtliche Geräusche verschwanden, nur die Radiomusik ging ruhig weiter, und der Dampf der Kaffeemaschine bewegte sich wie durch das Datum) wurde in dem Coffee Shop, unter allgemeiner Atemlosigkeit, die Zeit beständiger wirksam (Sorger sah einen Wimpernschlag lang eine riesige Gestalt über einer Flußlandschaft stehen) und durchstrahlte den Raum mit einer wärmenden Lichtwelle.

Der Augenzeuge hatte dafür nur die Worte »Jahrhundert« und »Friedenszeit« und sah, wie in einem stummen Film, Kalenderblätter fallen. Die »Göttin Zeit« nahm den unversehens, mitsamt den Blechaschenbechern und Zuckergläsern (die zu Prunkgefäßen wurden), saalartig glitzernden Coffee Shop aber nicht aus dem Datum des Tages heraus, sondern verband ihn umgekehrt mit den vergangenen Tagen, bis der Raum (statt fremd nur immer heimeliger werdend) in sich alle zu einer Menschenmöglichkeit weiterhelfenden Erfindungen, Entdeckungen, Töne, Bilder und Formen der Jahrhunderte trug.

Ein gemeinsamer Atem erfaßte die Anwesenden. Das Licht wurde Stoff, und die Gegenwart wurde Geschichte; und Sorger, erst in qualvoller Konvulsion (es gab für diesen Moment ja keine Sprache), dann in Ruhe und Sachlichkeit, schrieb auf, um das Gesehene, bevor es sich wieder verflüchtigte, rechtskräftig zu machen: »Was ich hier erlebe, darf nicht vergehen. Das ist ein gesetzgebender Augenblick: mich lossprechend von meiner Schuld, der selbstverantworteten und auch der nachgefühlten, verpflichtet er mich, den einzelnen und immer nur zufällig Teilnahmsfähigen, zu einer so stetig wie möglich geübten Einmischung. Es ist zugleich mein geschichtlicher Augenblick: ich lerne (ja, ich kann noch lernen), daß die Geschichte nicht bloß eine Aufeinanderfolge von Übeln ist, die einer wie ich nur ohnmächtig schmähen kann – sondern auch, seit jeher, eine von jedermann (auch von mir) fortsetzbare, friedensstiftende *Form*. Ich habe gerade erlebt, wie ich, der bis jetzt Außenstehende (sich manchmal freilich in die anderen ganz Hineindenkende), zu dieser Geschichte der Formen gehörte, und sogar, zusammen mit den Leuten drinnen im Lokal und den draußen auf der Straße Vorübergehenden, in ihr neubeseelt mitspielte. Die Nacht dieses Jahrhunderts, wo ich zwanghaft in meinem Gesicht nach den Zügen der Despoten und Weltherrscher forschte, hat für mich damit ein Ende genommen. Meine Geschichte (unsere Geschichte, ihr Leute) soll hell werden, so wie der Augenblick hell war; – sie durfte bisher ja noch nicht einmal anfangen: als Schuldbewußte, zu niemandem gehörend, auch nicht zu den anderen Schuldbewußten, waren wir außerstande, in der friedlichen Menschheitsgeschichte mitzuschwingen, und unsere Formlosigkeit bewirkte nur immer neue Schuld. Zum ersten Mal sah ich soeben mein Jahrhundert im Tageslicht, offen zu den anderen Jahrhunderten, und ich war einverstanden, jetzt zu leben. Ich wurde sogar froh, ein Zeitgenosse von euch Zeitgenossen zu sein, und ein Irdischer unter Irdischen: und es trug mich (über alle Hoffnung) ein Hochgefühl – nicht meiner, sondern menschlicher Unsterblichkeit. Ich glaube diesem Augenblick: indem ich ihn aufschreibe, *soll er mein Gesetz sein*. Ich erkläre mich verantwortlich für meine Zukunft, sehne mich nach der ewigen Vernunft und will nie mehr allein sein. So sei es.«

Sorger starrte sich aus dem Spiegel des Coffee Shop leer-erschöpft, menschlich-versteinert, wie aus der Tiefe von Jahrhunderten entgegen; er war an diesem Tag gerührt von seinem eigenen Gesicht.

Aufblickend sah er draußen in dem Zug der Leute, als etwas ganz Selbstverständliches, die zwei Frauen sich bewegen, die ihm in dem Erdbebenpark an der Westküste begegnet waren; er hatte zuerst ihre Hände bemerkt, wie sie, zum Winken erhoben, warteten, daß er endlich auf sie aufmerksam werde. Er schmunzelte, und die Frauen gaben ihm elegant ihr Zeichen und verschwanden in dem Schacht zur Untergrundbahn: sie würden einander noch öfter sehen.

Dann gab es eine seltsame Verwandlung: die Menge vor dem Fenster wurde immer schneller, verdichtete sich und nahm schließlich, Gesicht an Gesicht, wobei jedes einzelne im Vorbeieilen, fast beängstigend, alle seine Merkmale zeigte, die ganze Straße ein. Tausende von Augen glühten ihm entgegen. Er sah das Bild schwanken und merkte, daß er wieder ein paar Atemzüge lang geschlafen hatte. Er spürte das warme Blut in den Armen wie eine Verbundenheit mit den Vorfahren und freute sich auf den Mann aus dem Flugzeug: »Werde ich dich wiedererkennen? Und was wirst du erzählen?«

In dem Coffee Shop war es auch, daß Sorger beim Gewahrwerden der zerkratzten Tischplatte beiläufig zum Bewußtsein »seiner« Erdformen zurückfand: während er hier in dem niedrigen, ebenerdigen, dunklen Raum saß, wie eingemauert von der allseits aufragenden Weltstadt, dämmerte ein Schimmer des zugefrorenen Stroms aus der Winternacht; fuhren die Pendlerbusse über die neuerstandene Paßhöhe der Westküstenstadt ins östliche Morgenlicht wie über eine kontinentale Wasserscheide, und hinter ihnen überschlugen sich, deutlich werdend im aufsteigenden Nebel, die Wellen des Ozeans. Nicht nur die Schrammen der Tischplatte, auch der Boden des Coffee Shop ahmte die Oberflächengestalt der Erde nach. Er fiel zur Kasse unversehens in eine kleine Mulde ab, und Sorger hatte beim Hingehen einen Schrekkensmoment lang keinen Grund mehr unter den Füßen. Es war, als seien die Bodenplatten des Lokals einfach auf die Erde, wie sie war, ohne Einebnung, aufgelegt worden; und mit dieser Unregelmäßigkeit des Innenraums wurde die Stadt, aus der Tiefe herauf, auch als ein mächtiger Naturkörper lebendig: ins Freie weitergehend, wo die bucklige Avenue den Coffee-Shop-Boden beiläufig fortsetzte, nahm Sorger in einem Atemzug gleichsam die ganze felsige Halbinsel in sich auf. Sich auf den Granitplatten des Gehsteigs zu bewegen, bestärkte die Raumeroberung, und machte sie dauerhaft. Er erfuhr dabei den Untergrund der Stadt, die gerade noch wie von einem wesenlosen Pflaster in die Luft geragt hatte; und die Häuser erschienen so der Landschaft nicht mehr bloß aufgesetzt, sondern mit ihr verbunden: als sei die Felseninsel tatsächlich »die Heimat der Wolkenkratzer«. Die Stadt wurde sogar nach und nach zu einer dörflichen Siedlung, wo einzelnen niedrigen Häusern mit Erkern die kleinzieglige Masse der Wohntürme benachbart war. Eine Frau mit gepunktetem Kopftuch, im Einkaufsnetz einen Brotlaib, wartete auf den Autobus, an der Hand ein Kind, das eine Schultasche trug. An einem tief im Teer steckenden Ziegel war noch der heiße Sommer lebendig, und in den tiefen Löchern im Asphalt, wo jetzt das Regenwasser stand, erschien schon der ländliche Winter mit seinen Eisflächen.

An einer Stelle verhielt Sorger zwischen den wie überall sich auftürmenden Häusern in dem Bewußtsein, sich da auf dem geographischen Gipfel von New York zu befinden, und er sah eine Akazie, die im Gipfelwind nicht nur die einzelnen Blätter, sondern ganze Zweige verlor.

In der Westküstenstadt war Sorger nie auf dem Weg zu jemandem gewesen; jetzt hatte er den Mann aus dem Flugzeug, zu dem er hinging. Der Fremde nannte sich Esch und schaute ihn immer noch unverwandt an, wie am Morgen im Taxi, als hätte er auch in Sorgers Abwesenheit stets dessen Gesicht vor sich gehabt.

Sie saßen in einem weiträumigen Restaurant, zunächst fast allein, mit vielen leeren Tischen vor sich, bald darauf jedoch gleichsam gedeckt von der vollzähligen Gästemenge, die bei Einbruch der Nacht wie in einer einzigen Bewegung den großen Saal gefüllt hatte. Den ganzen Abend vibrierte unter ihnen die Subway. Ihr Platz war die Eckbank in einer Nische, und wenn sie die Köpfe hoben, wurden sie berührt von den Blättern eines da stehenden Gummibaums. Der Hintergrund des Raums war weißlich und dampfte von der Küche; die Teller bewegten sich momentlang wie Raddampfer.

Der Fremde hatte zunächst sehr blasse Lippen, was aber später nicht mehr auffiel, und hielt den Kopf selbst beim Reden, Essen und Trinken oft in die Hand gestützt. Er sagte (wobei er immer wieder die Zunge herausstreckte): »Glauben Sie nicht, daß ich Ihnen Fragen stellen will. Ich will Sie nicht kennenlernen. Wenn ich tagsüber an unsere Verabredung dachte, bedauerte ich meine Voreiligkeit. Ich spielte mit der Vorstellung, gar nicht hierherzukommen – wobei ich das gleiche auch von Ihnen annahm.«

Sorger senkte unwillkürlich den Kopf. Als er wieder aufschaute, war es einen geisterhaften Moment lang, als blicke er in die eigenen weitaufgerissenen Augen; dann erst merkte er, daß der Fremde weinte. Zugleich wurde die Farbe dieser Augen ein Ding für sich (so wie auch die nackte Stirn), und sie rückten beide tiefer in die Nische hinein und konnten von niemandem mehr gesehen werden. Der Mann bat Sorger um ein Taschentuch, schneuzte sich und sagte: »Hören Sie mich ein wenig an.« Und er erzählte vom »Versagen im Beruf«, von der »Konkurrenzunfähigkeit«, von »Frau und Kindern«, von »Geld« und von der »Unmöglichkeit, nach Europa zurückzukehren«, eine Geschichte, welche diese drei Ausrufe hatte: »Ich weiß überhaupt nichts!« – »Alles was ich kann, ist die Faust ballen.« – (Und am Schluß bloß:) »Oh, ich!«

Sorger wünschte sich seine Macht herbei und verwandelte sich (es war schwer) in die Nische, in der sie beide saßen, wölbte sich über den Zufallsbekannten und nahm ihn, der über seinen Zustand schon erstaunt den Kopf zu schütteln begann und sich zwischendurch wieder höflich das Taschentuch borgte, in sich auf, bis sich der starre Torso des anderen allmählich neubelebte und einen zunächst grotesken, dann liebenswürdigen Kinderkopf bekam und sich schließlich die Arme rieb, aus denen, wie er sagte, eben »die Angst wegschwirrte«. In diesem Moment fühlte sich Sorger aus dem tiefen Nacht-Raum wie von einem Schauder der Schöpfung überflogen, wo er, von sich selber erstaunt, sich mit dem Mann körperlich vereinigen wollte: als wäre das die einzige Möglichkeit, ihn am Leben zu halten. – Dann genügte jedoch ein stark alles anders wollender Blick, in welchem der Fremde sich gleichsam zurücklehnen konnte. Später schaute Sorger sogar ausdrücklich von ihm weg – als sei die kranke Welt auch zu heilen, indem man sich länger von ihr abwandte.

Dabei war ihm von Anfang an, als hörte er der Geschichte von sich selber zu; nicht weil sie ähnlich war, sondern weil er an dem sich beschuldigenden Menschen jene Stimme wiedererkannte, die auch ihm selber oft das Lebensrecht absprach. Hier aber, aus einem fremden Mund (und nicht eine tonlose Leier im eigenen Innern), verdammte ihn die Stimme nicht, sondern wurde durchschaubar als der Widersinn, der von Zeit zu Zeit nicht nur ihn allein würgte. So konnte Sorger, »die Pforten der Sinne« öffnend und von sich und dem anderen wegrückend, jener »lachende Dritte« werden, der ihnen beiden die heitere Ordnung gab; wenn auch betroffen von dem fremden Unglück, empfand er doch im Zuhören und Zuschauen, wie nur je ein mitgehendes Publikum, ein unbekümmertes Vergnügen. Er schmunzelte hin und wieder sogar, und der gerade noch stockende Esch, das bemerkend, faßte Vertrauen und sprach frei heraus.

Seine Verzweiflung beschreibend, wurde er deren Darsteller: das hieß nicht, daß er sie spielte – es glückte ihm vielmehr, die einzig entsprechenden Gebärden und Sätze dafür zu finden und diese auch jeweils im einzig möglichen Moment geistesgegenwärtig zu äußern. Erst als Vorführer seiner selbst, inbrünstig und zugleich lakonisch, gab er ein Bild von seinem Unglück und wurde zum Verkünder seiner Wahrheit; vermied so (mit Sorger als dem notwendigen Gegenüber) die Panik und wurde gar, ohne Beflissenheit, aufmerksam für sein Publikum, dem er, dabei unbeirrbar sein Lamento fortsetzend, mit jeder Handreichung – dem Einschenken des Weins, dem Griff nach der Rechnung – beiläufig zuvorkam. Zuletzt beherrschte er seinen Zustand schon so sehr, daß er ihn in einer burlesken Folge von Zeichen seinem Zuschauer wie einen Kehraus vorführte. Er sagte: »Ich könnte immerzu weinen – schauen Sie her!«: und es kamen ihm auch schon wirklich die Tränen, freilich nur in einer Andeutung – im nächsten Augenblick zeigte er, genauso kurz, seine zitternden Hände vor – worauf ihm, gleich wieder verschwunden, der helle Angstschweiß aus dem Haaransatz stieg –, worauf sich eine Heiterkeitspause ergab, welche der Erzähler jedoch (wieder im richtigen Moment) abbrach, indem er dem Zuhörer ins Ohr flüsterte: »Ich war dem Ende nahe« – dann den Rechnungsteller, auf dem ein Bleistift lag, in die Hand nahm und, den Blick darauf gesenkt, mit ruhiger Stimme das Ende seiner Geschichte vortrug: »Am Nachmittag standen noch die Felsen des Todes aus dem Park, und die Bestienkäfige im Zoo waren leer. Und jetzt am Abend: welch Vergnügen an einem Teller in der Hand, auf dem ein Bleistift rollt. Ein langes Leben wünsche ich uns allen.«

Er beschloß seine Vorstellung mit einer Selbstparodie, indem er auf das Restaurant-Aquarium hinwies, wo kleine Granitbrocken als Dekoration für die Zierfische lagen; machte zuletzt, ernst und ohne Anzüglichkeit, Sorger auf die Nachbarnische aufmerksam, in welcher – sonst war da nichts zu sehen – das schöne Bein einer dort sitzenden Frau auf und nieder wippte, und schwor, ohne Sorgers Blick auszuweichen, »eines natürlichen

Todes zu sterben«. (Zuvor waren auf eine Frage nach dem Todeswunsch nur seine Pupillen weggeschnellt.)

Jetzt bekam der Fremde Appetit. Er aß nicht gierig, sondern mit geradezu zeremoniellen Bewegungen, auch von dem Wein jeweils nur einen kleinen Schluck nehmend; betrachtete jeden Bissen lange und führte ihn zum Mund mit einer Miene der Zuneigung zu dem Eßbaren. Er sagte, daß er Speise und Trank in der Mundhöhle buchstäblich »leuchten« spüre; und lächelte dann ein Lächeln, das Minuten dauerte: als sammle er so Energie.

Sorger betrachtete den Esser und empfand, von ihm lernend, Wärme an der Stirn. Sein Gesicht wurde von dem des anderen überzogen, und schließlich gab es keinen anderen mehr.

Sie saßen in der Nische wie auf einer Brücke; redeten fast nichts mehr; es genügte, sich zwischendurch als Spießgesellen anzugrinsen. Sie versanken, jeder für sich, in die persönlichen Vorstellungen und hatten daran ihr gemeinsames Vergnügen. »Ein Gott hatte Kurzweil mit ihnen.« Sorger schlief sogar bei offenen Augen einmal ein und wurde geweckt von der Stimme des Gegenüber, hörte aber nur noch dessen Schlußsatz: »Sie sind der erste, dem ich das sage.« – Was hatte der Mann gesagt?

Das Elend wirkte an diesem freilich noch einmal

nach, als er, von der Toilette zurückkehrend, sich verirrte und, ohne es zu bemerken, sich an einem Tisch zwischen fremden Leuten niederließ, von wo Sorger ihn, der dort bewegungslos vor sich hinschaute, dann abholte.

Hatte er nicht vorher auch an dem Weinglas öfter danebengegriffen? Und war nicht seine Anzugsweste verkehrt angezogen? »Macht, komm zurück.« Und Sorger wurde sein Vorsprecher: befahl und verbot ihm (der in seiner Nach-Angst gerne gehorsam war); sprach ihn frei vom Schmerz; weissagte ihm Gutes und gab ihm schließlich den Segen, worauf dem so Angesprochenen die letzte Schwärze aus der Mundöffnung wich und das Gesicht des »gentleman«, wie dann die Frau an der Garderobe sagte, nur noch eine »traurige Zufriedenheit« zeigte.

Sie traten nicht »in die Nacht hinaus«, sondern gingen vom Restaurant auf die Straße wie von einem Raum der Stadt in den nächsten. Esch, als sei er der Eigentümer dieser Räume, machte an der Tür ins Freie vor Sorger als seinem Gast sogar eine Geste der Einladung.

Sorger hatte einmal von einem eigentümlichen heiligen Berg in China gehört, welcher für Ausländer verboten war: es hieß, daß von seinem Gipfel aus die Einheimischen, doch auch nur dann, wenn sie Glück mit dem Wetter hatten, ihren Schatten auf den darunter lagernden Wolken sehen und aus

der besonderen Form der Schatten ihre Zukunft
herauslesen können. Ein besonderer Schatten erschien in dieser Nacht auch auf der gelblich beleuchteten Straße von New York, auf welcher die
beiden von Süden nach Norden, von »down-
town« hinauf nach »uptown«, durch die halbe
Länge der Stadt einander heimwärts begleiteten:
er wurde sichtbar auf einer der vielen Dampfwol-
ken, die im Verlauf der Avenue überall, nach war-
mem Gebäck riechend und oft leise zischend, aus
dem Untergrund kräftigweiß durch den Asphalt
quollen und, in den Augenwinkeln die Gestalt von
weglaufenden hellen Hunden annehmend, im
Nachtwind rasch in die Dunkelheit trieben. An einer unterirdischen Baustelle, aus der ein blecher-
nes Entlüftungsrohr mit ungewöhnlich großem
Durchmesser weit über die Straßendecke heraus-
ragte, stieg der weiße Rauch viel dichter und dik-
ker empor; verflüchtigte sich auch nicht gleich zur
Seite hin, sondern bildete weit in die Höhe hinaus
eine beständige, doch unablässig sich neu for-
mende Masse, auf die eine der in New York mit
besonders starkem Licht brennenden Laternen
den Schatten eines kleinen Gehsteigbaums warf:
Indem dieser Dampfkörper, dem Wind und den
rhythmischen Ausstößen von unten herauf jeweils
nachgebend, sich erweiterte oder neu aufschie-
ßend sich verengte, vergrößerte und verkleinerte
sich auch der Baumschatten auf ihm – blähte sich

jetzt groß zur Undeutlichkeit auf, und zeigte sich im nächsten Moment eingeschrumpft, tiefschwarz und klar umrissen. Augenblicklich, zur gleichen Zeit und ohne Verabredung, blieben die beiden Wanderer stehen und betrachteten das Schattengeäst auf den Dampfschwaden, welches sich da sogar mit einigen vereinzelt noch hängenden Blättern abzeichnete. Es waren freilich nicht irgendwelche Fragen nach einer Zukunft, die ihnen in den spielenden Silhouetten beantwortet wurden – vielmehr begann mit dem Gewahrwerden dieser (eben nicht »verbotenen«, nicht »heiligen«, jedermann zugänglichen) Alltäglichkeit für die übrige Wegstrecke die Herrschaft einer sie beide unterschiedslos in sich aufnehmenden Gegenwart, wo sie mit jedem Schritt im Asphalt die wohltätige Härte des Erdkörpers spürten.

War diese Schönheit auf der gebuckelten Avenue wieder nur flüchtig (und begegnete nur als Zufall den zwei ortsfremden Nachtschwärmern)? Würde der einmalige Schauplatz des gelben Lichts, des grellweißen Dampfes und des wie darauf hingeatmet sich vor und zurück bewegenden Baumschattens gleich wieder für alle Zeit in der Ewigen Formlosigkeit verschwunden sein?

Die »Avenue der Gegenwart«, auf der Sorger und Esch ihren Weg fortsetzten, zwischendurch auch laufend mit den zahlreichen nächtlichen Läufern, belebte sich vor ihnen als Gegend für sich, mit den

dazugehörigen seltsamen Ecken, Durchblicken und Vorsprüngen, wie ein abgegrenzter Stadtteil sich bildet für dessen langjährige Bewohner: und es standen ja auch wirklich in vielen Schaufenstern Schilder, welche einluden zum »Sonntags-Frühstück auf der Avenue«, als sei diese, die dabei mitten durch die Metropole führte, ein traditionelles Ausflugsziel. Zur einen Hand erschien am Ende jeder Querstraße der wie in die Finsternis abfallende Park, aus dem ab und zu von den Felskuppen ein glimmeriger Schein heraufkam; zur anderen leuchtete, nach jedem Block etwas höher in den Zenit gerückt, immer neu der abnehmende Mond, der sich allmählich – es wurde auch spürbar kälter – weiß entfärbte, dann einen breiten Hof ausstrahlte und an der Kreuzung, wo die beiden vor einem die ganze Nacht offenen Supermarkt anhielten (als sei das der Ort, sich zu trennen), in einer nur noch von den Stadtlichtern widerscheinenden Bewölkung verschwunden war. Dann liefen auch schon Scharen vager Schatten über den Asphalt, denen die zugehörigen Körper gleich hinterherkamen: große Schneekristalle, die in leise knisternden Schwaden aus dem Nachthimmel sanken; und Esch sagte: »Vor ein paar Stunden hätte ich in diesen Schemen noch Ratten gesehen.«
Sie befanden sich nun in der weiten amerikanischen Region »Snowflurries« (Vorstellungsbild

von einer ländlichen Hügelgegend mit Karrenspuren und einem einzelnen Holzzaunpflock), und hatten Zeit, nebeneinander im Schneefall zu stehen. Es war nach Mitternacht; doch überall, bis in die Tiefe der Avenue, hinunter und hinauf, bewegte es sich noch von Menschen; manche scharrten schon die Flocken auf den Dächern der parkenden Autos zusammen und versuchten, sich damit zu bewerfen.

Den beiden zunächst umarmte eine Frau einen Mann, der als Antwort bloß vergnügt zurückschaute. Als aber der Mann, nach einer kurzen Unterhaltung, seinerseits die Frau streicheln wollte, wich sie mit dem Kopf vor ihm zurück. Leise auf sie einredend, hatte er noch einmal zur Versöhnung angesetzt, indem er sie, die dabei steif wurde, mit dem ganzen Körper an sich zog – winkte dann unversehens ab und drehte sich zur Seite. Seine Wangen waren heftig gerötet; und Sorger, dem jetzt erst auffiel, wie jung die beiden waren, kam der Schilehrer in den Sinn, der als Toter ein bitter enttäuschtes Gesicht gehabt hatte, und er stellte den Burschen ganz in sich – und das hieß: in die weltweit flirrende Schneenacht, in den heilkräftigen Winterraum hinein, um ihn dort wiederzubeleben.

Dann bemerkte er, daß das triste Paar auf dem Gehsteig, wie in einer die Menschenwelt verlachenden Groteske, drinnen in dem Supermarkt, gleich hinter dem Fenster, sozusagen noch einmal auftrat, in Gestalt zweier älterer Männer an der Kasse (der dahinter Sitzende ein Weißer, der davor Stehende ein Schwarzer), welche da aneinander vorbeischauten, als sei zwischen ihnen beiden, über den sicherlich mitzählenden Tatbestand hinaus, daß sie »Angestellter« und »Kunde«, »Neger« und »Weißer« waren, gerade etwas Schlimmeres als persönliche Feindschaft ausgebrochen: das gesichtsauslöschende, sinnesverwirrende, klägliche Unverständnis – das keiner von ihnen wollte und das beide gleich unglücklich machte.

Anders als bei dem jungen Paar draußen auf der Straße (wo der Mann mit abgewandtem Gesicht die Frau schon wieder schüchtern kitzelte) waren die Gesichter der zwei Alten im Supermarkt von einer tiefen Blässe. Sie redeten nicht; regten sich auch kaum (bloß der Schwarze knüllte an seinem braunen Papiersack herum). Beide verharrten mit voreinander gesenkten Augen, an denen die Lider zitterten, ohne auch nur ein einziges Mal Bestätigung oder Hilfe bei den übrigen Leuten zu suchen, die mit ihrem Eingekauften in einer kalt erstarrten Reihe, nicht einmal wartend, ebenso bleich, verstummt und vereinzelt, hinter ihnen standen; und erst als der Schwarze, lautlos die Lippen bewegend, endlich die Tür aufmachte, hob der Kassierer den Kopf für den nächsten Kunden – grinste diesen jedoch nicht an (wie der Zeuge draußen es erwartet hatte), sondern offenbarte nur (niemand Bestimmtem) seine dunklen, trostlos geweiteten und einen Moment lang flehentlich glänzenden Augen.

Gleich darauf, während Sorger dem Neger nachschaute, der, hin und wieder die Arme hochhebend, sich in die nächtliche Avenue hineinbewegte, fuhr unversehens ihnen allen, die noch unterwegs waren – auch einer Gruppe, die weiter entfernt im Finstern auf einen Autobus wartete –, ein Lichtstrahl über das Gesicht und dann weiter durch die Straßenflucht, wie ein Such-Scheinwerfer an den Gebäudesockeln entlang, obwohl doch gerade keine Autos fuhren; und erst mit der Bodenerschütterung und dem nachfolgenden Luftzug wurde klar, daß der Blitz durch die Gehsteiggitter von der darunter verkehrenden Subway kam.

Sorger blickte auf Esch, der schon in den Halbschatten abgedreht war; dieser erwiderte den Blick sofort, und beide zogen nun, einander immer wieder anschauend, wie in einem inneren Bogen ihren gemeinsamen Weg nach: erst die Augen in leidenschaftlicher Ratsuche hilflos gerundet, dann »wie Wissende« halb geschlossen, dann fast schurkisch einander zuzwinkernd, und am Ende sich nur noch ehrerbietig verabschiedend (als wüßten sie, daß sie auch Feinde sein könnten) – bis sich ihre Blicke voneinander weg zur nächt-

lichen Stadt hin verlängerten, wo den in die Subway Steigenden mit dem Schnee die Herbstblätter
nachwehten und über der Skyline die dichtauf folgenden Nacht-Flugzeuge, zuweilen im Himmel
jäh aufflammend, wie auf einer zusätzlichen Avenue schwebten.

Zuletzt überreichte Esch seine Visitenkarte (eines
»traurigen Geschäftsmannes«); klimperte als Zeichen seiner Heimkehrfähigkeit mit seinen »Europäischen Schlüsseln« (wobei Sorger auffiel, daß er
selbst gar keine Schlüssel mehr besaß); tadelte mit
einem geradezu verschmitzten Gesicht (wobei er
sich ganz nah vor den anderen hinstellte) Sorger
für dessen zeitweilige »Geistesabwesenheit«, welche »schuldhaft« sei; rezitierte aus einem Gedicht:
»Der Schönheit Gang war kurz / wie ein Traum im
Schneelicht«, und schenkte dem »Landsmann«
zum Abschied seinen Hut.

War die Katastrophe nicht bloß aufgeschoben?
Niemand würde sterben! Sorger hatte die Gewalt
zu wünschen, und die Ruhe der horizontalen Welt
trat ein. Der Wind wechselte. Schnee und Laub
tanzten straßenaufwärts: »Da fliegen wir alle!«

Der Empfangsraum des Hotels hatte die Eigen-
tümlichkeit, daß er unter dem Straßenniveau lag:
mehrere Stufen führten von dort in das blendend
helle, dabei nächtlich leere Souterrain hinunter,
wo in einer weitentfernten Ecke der Liftmann ein-

geschlafen auf einem Schemel saß, während die Stimme des Portiers, der selber vom Eingang aus unsichtbar war, den in der hinteren Spiegelwand zu Erkennenden mit der Frage begrüßte: »Späte Ankunft?« Durch die sich langsam schließenden Flügel der Eingangstür sauste kurz noch die Luft von draußen herein; dann war es auf einmal sehr leise in der Halle, und der Spätankömmling meldete ein Telefongespräch nach Übersee an.

Er setzte sich zum Warten auf einen rotbezogenen Sessel an der Seitenwand, neben den schlafenden Liftführer, der glatt zurückgekämmte weiße Haare hatte. Nur die Eigengeräusche des Raumes waren noch hörbar: ein Klimagerät klapperte, und aus einer Eismaschine wurden mit einem Klicken immer wieder helle Würfel ausgestoßen. Ein Läufer, rot wie der Sessel, zog sich hin bis zur anderen Querwand, und das Messinggitter vor dem offenen Lift übertrug seinen Altersglanz gemach in die zunächst (wie überhaupt das ganze Hotel) bloß robust erscheinende Halle. Wann hatte er zuletzt Zeit für solch unauffällige, undramatische, nichts als herzerwärmende Gegenstände gehabt? »Will ich denn mehr? Ist es nicht mein Traum vom Leben, nur noch zufrieden den weltlich-himmlischen Liebreiz der Dinge um mich zu haben?«

Dann schrillte das Telefon, und Sorger stolperte in die Telefonkabine; redete aufgeregt und spürte zugleich einen merkwürdigen Schmerz, der ihn, wie bei einer Operation, von der innersten Brust bis hinauf in den Schädel durchschnitt, begleitet von einem quälenden Geräusch, das sein höchstpersönliches Lachen war. (»Ist bei euch ein Fest?« wurde er gefragt.)

Nach dem Telefonieren blieb er empfindungslos in der dunklen Zelle sitzen, nur noch lebendig. Er hatte nicht einmal von einer Heimkehr geredet; und man war nicht neugierig gewesen. Auf das Bekennen seiner Gefühle war nur ein verlegenes Lachen gekommen. Sorger erfuhr, daß er gar nicht gebraucht wurde. Es war ihm sogar recht, und er saß schwitzend, bewahrte die andere Stimme im Ohr und wollte immer weiter dasselbe Wort sagen; und zugleich zählte er im stillen immer noch die Stufen, die von der Straße in die Halle herabführten. Er wünschte sich die Geliebten herbei, und da waren sie (sie waren all die Zeit nur im Nebenraum gewesen); und zugleich dehnte sich der Ozean zwischen ihnen.

»Er ist nur ein Tier.«

Wer sagte das? Er stieß die Kabinentür auf und sah den Nachtportier durch eine Luke in der Schlüsselfachwand mit der Telefonistin reden, welche dahinter wie in einem Verschlag vor den Steckkontakten hockte. Niemand von den Anwesenden schien mit diesem Satz gemeint zu sein: und doch schaute Sorger unwillkürlich zu dem schimmernden Liftmann hin, an dem ihm augenblicklich eine blutende Warze auf der Wange und die fehlenden Schulterlitzen der Uniform auffielen. Und wieder sagte der Portier zu der Frau in der Luke: »Er ist ein Tier – ein verrückt gewordenes Tier. Und die einzige Möglichkeit, mit verrückten Tieren umzugehen, ist, sie auszurotten.«

Eine tiefere Nacht brach als jähe (und gleich wieder unbegreifliche) Ahnung über das freundlich leuchtende Souterrain herein, wo für einen Moment die Lamellen des Klimageräts ratterten, als säßen die vier Personen da verloren in einem gespenstischen Zug: in einem Raum-Zeit-Ruck verzerrten sich die Gesichter zu Schlagetot-Masken, aus denen, unveränderbar böse, die Parolen der Gewaltvergangenheit auch dieses Landes nachtönten, welches sich vor dem Ausländer tatsächlich manchmal als »gotteigen« erstreckt hatte. Der winzige Ruck genügte, daß die tagklare Lobby, mitsamt der Lichterstadt vor den Türen, zu einem Nachbild des Dschungels verwilderte, in das von allen Seiten die Schatten von Bajonettspitzen ragten. Der Zug stieß ein Geheul aus, in dem auch das Ticken der Fernschreiber zu hören war; und Sorger erkannte in dem schattigen Gesicht des Portiers eine Indianermaske, die einen Menschen, »seine Seele verlierend«, darstellte und in deren hölzernen Wangen zwei Mäuse saßen, die die Seele auffraßen. – Es erwies sich dann freilich, daß der Portier nur aus einer Zeitung vorgelesen hatte.

Was galt nun eigentlich: das schöne Vorspiel oder das gräßliche Nachgetümmel? »Was will ich? Was ist für mich wirklich?«

Wirklich war die Kinderzeichnung über der Schlüsselwand; wirklich waren die unbeweglich müden Augen der Telefonistin; wirklich war die gravitätische Gebärde, mit welcher der Liftführer, durch die laute Stimme aufgeschreckt, Sorger in seinen mit Glaslüster und rotsamtener Sitzbank verzierten Fahrstuhl einlud; wirklich waren die ordentlich parallelen, vom Naßkämmen steifen Haarsträhnen, die schiefen Schultern und die glänzenden Lackschuhe des alten Mannes, der auf der gemächlichen Fahrt hinauf in das Turmzimmer, mit dem Rücken zu seinem Passagier stehend, diesem eine unverständliche Predigt hielt und am Ende zwei Finger, zwischen denen der Trinkgeldschein steckte, zu einer Entlassens-Geste hob: »*Das* ist etwas!« Wirklich war, was friedlich war.

In dem kurzen Flur roch es nach Farbe. Sorger bemerkte, daß seine Tür, am Morgen noch grün, dunkelrot gestrichen war. War nicht auch auf dem nächtlichen Nachhauseweg ein Geschäft, das am Tag von Obstpyramiden hell geleuchtet hatte, zu einem schwarz ausgebrannten Loch geworden, in dem nur noch einzelne Äpfel mit geplatzter Haut in der Asche lagen? (Und in seinem Mantel waren hinten tiefe Schnitte wie von Rasierklingen.)

Sorger betrat das Zimmer mit einem Lied des Sängers im Kopf, das von einem erzählte, der, um vom »tödlichen Loch« wegzubleiben, sogar »herumschmieren wollte wie ein billiger Detektiv«: »Born to win.« Das Bett stand aufgeschlagen wie für zwei, und zu beiden Seiten waren die gelben Nachttischlampen an. Die Falten im Leintuch gaben ein Bild von der Weltkarte, und Sorger erlebte in einem Atemzug die Zeit von seiner Geburt weit weg in Europa bis jetzt zu dieser Gegenwart, als sanfte, stete Aufwärtsbewegung; und er spürte dabei, wie er von sich selber stark wurde.

Er zog die Vorhänge und Jalousien wieder auf (Flockenschaben am Glas und Nachtschwärze) und schaute die Aufzeichnungen der letzten Jahre durch. Es wurde ihm dabei deutlich, wie sehr sich seine Vorstellungen von der geplanten Abhandlung geändert hatten; in das Interesse an den langzeitigen Naturräumen hatte sich eine Betroffenheit durch Raum-Formen eingemischt, die gleich wo (nicht allein in der Natur) sich bloß episodisch bildeten, indem »ich, Sorger« sozusagen »ihr Augenblick« wurde, der sie zugleich zu Zeit-Erscheinungen machte. Aber gab es überhaupt eine Terminologie für die vorbeischlüpfenden, der Erinnerung kaum Worte und Bilder lassenden Einmaligkeiten?

Das Schwere, Glatte, das Sorger nun vor sich sah und zugleich platzverdrängend in sich hatte, war ein gläserner Berg, der ihm die Heimkehr verwehrte, und er schaute zu dem weißen Bett hinüber wie auf eine Fluchtmöglichkeit. Entspräche es diesen unbeglaubigten, weil sich mit seiner innersten Person verschränkenden Kurzzeiträumen nicht eher, sie nachzuerzählen? War es nicht so, daß gerade jenes kurze »Kreisen der Räume« ihn jeweils begeisterte als Erkenntnisglücksfall, welcher dann nach Dauer in einer *Form* verlangte und ihm so eine Idee von der richtigen menschlichen Arbeit vermittelte, wo Ekel und Trennungsschmerz zwischen ihm und der Welt aufgehoben wären? Wie aber könnte es gelingen, von Räumen, die ja an sich kein »nach und nach« kannten, zu »erzählen«?

Sorger breitete die Hefte mit den Aufzeichnungen über den Tisch, so daß jedes einzelne mit seiner besonderen Farbe erschien und die ganze Tischfläche gleichsam zu einer geologischen Karte wurde, wo bunte Flächen die verschiedenen Erdzeitalter bedeuteten. Ein mächtiges, unbestimmtes Zartgefühl ergriff ihn: Natürlich wünschte er sich ein »zusätzliches Licht«! Und bewegungslos stand er über das vielfarbige, an manchen Stellen schon altersblasse Muster gebeugt, bis er selber eine ruhige Farbe unter anderen wurde. Er blätterte die Hefte durch und sah sich in der Schrift verschwinden: in der Geschichte der Geschichten, einer Geschichte von Sonne und Schnee. Jetzt könnte er alle zu sich überreden, und die dunkle Weltkugel zeigte sich als eine zu beherrschende, sogar bis ins Innerste zu entschlüsselnde Maschine.

»Fälschung!«: Das war nun aber kein Schuldvorwurf mehr, sondern eine Heilsidee: er, Sorger, würde das »Evangelium der Fälschung« schreiben; und es war eine triumphale Vorstellung, ein Fälscher unter Fälschern zu sein. (Ein einzelner war nur zu Stückwerk gut.) Und zugleich sah er sich fähig, das Scheitern zu ertragen: verschwand schon durch »seine« Arkade. In einem Bach stand das Wasser, im Wasser standen Eisstücke.

Im Bett klopfte er die letzte Verlassenheit auf der Matratze ab und wünschte, das Licht ausschaltend, allen alles Gute. Die Gegenstände im dunklen Zimmer sprachen mit den Stimmen von Angehörigen. Er sah zwei Augen, von denen er sich geliebt fühlte; und eine Stimme weit weg oder ganz nah an seinem Ohr sagte tatsächlich: »Ich liebe dich.« Er atmete nicht, lustvoll, und dann schlief er schon.

Europa lag unter ihm als nächtlich hallendes Labyrinth, in dem es von Autohupen gellte. Er sah die Große Handschrift, in der sein Leben beschrieben wurde, und las daraus sogar einen Satz (der aus dem anderen Geschriebenen hell herausgehoben war): »Er war nun einmal er, und der Spiegel, das Nichts und die Gravität berührten einander.«

Es war ein Schlaf der Verwandlungen: aus dem zwischen die Knie geschobenen Arm wurde ein Baum, die Finger wuchsen als Wurzeln in die Erde. Und er war dabei nicht allein: Lauffers ungebärdige Schulter zuckte unter einem breiten Hosenträger in dem Telefonraum des Indianerdorfes in Alaska; es rundeten sich die Augenbrauen der Nachbarsfrau vom Pazifischen Ozean; Esch bezauberte den Erdball mit dem Gesicht eines berühmten Schauspielers, und Sorger war der Joker, der sie alle einschloß.

Sie saßen dann zusammen auf einem Schneefeld in der hellen Sonne und hielten an einer Tafel Familienrat (zu dem auch Unbekannte gehörten). Ein Obstbaum, dessen Zweige wie Elchgeweihe waren, hing voll von großen, gelbweißen Frühäpfeln, von denen auch zahlreiche unten im Schnee lagen.

Zugleich blieben seine Sinne wach: er sah, mit geschlossenen Lidern, wie der Morgen graute, und hörte durch die Verbindungstür einem Mann im Nebenzimmer zu, der da bis ans Ende der Nacht, ohne auch nur einmal abzusetzen, in einer immer wüsteren Litanei alle Dinge und Menschen zwischen Himmel und Erde verfluchte.

Das Kopfpolster berührte ihn wie die nackte Fußsohle eines Säuglings, und im Aufwachen wirkte ein Kind in ihm, das dann still, ohne Wimpernzukken, mit dem eigenen Atem spielend, zum Fenster hinschaute. Alles, was er an sich organisch wünschte, war organisch; und alles Anorganische anorganisch.

»Das bin ich!«

Einmal hatte Sorger die Idee von einem geglückten Tag gehabt: an einem solchen müßte allein die Tatsache, daß es Morgen und Abend, hell und dunkel würde, Schönheit genug sein. Eine Ahnung davon bekam er während der Abschiedsstunden in New York, wo er, rasch und leise aufgestanden und gewaschen »mit dem Wasser dieser Stadt«, in festlicher und zugleich kühler Stimmung eine lange Morgendämmerung erlebte, so als würde das Tageslicht eigens für ihn noch ein wenig hinausgezögert. Er war nackt und hatte auch Lust, sich so zu zeigen. Er empfand Freiheit unter den Achseln und im Kopf einen lateinischen Scharfsinn; konnte überallhin sinken, und es wäre nicht der Tod. Es schneite nicht mehr, und am aufklarenden Himmel zeigte sich im Westen, wie ein entlaufenes und jetzt zurückgekehrtes Haustier (»Da bist du ja wieder«), der untergehende, tiefgelbe Mond; die Sterne strahlten rundum wie Leitbilder. Nah- und Fernsicht geschahen in einem, so daß zugleich mit den noch dämmerungsschwarzen Vögeln, die links und rechts an den Turmfenstern vorbeiflogen, sich am Horizont die schon taghellen Hügel des Staates New Jersey erstreckten. Von den unsichtbaren Avenuen tief unten reichte aber ein gelber Schein bis über die ersten Etagen der sonst in Düsterkeit dastehenden Häusertürme hinaus, und in den oberen Fensterreihen kreisten hier und da die Scheinwerfer der im verborgenen fahrenden Autos. Der Park war in die Stadt versunken, und das Grau des Sees stieg wirkend in die Augen; die herzförmige Fläche wurde durch die linde Farbe groß und beruhigend; an den dunkel darauf lagernden Möwen erschien das Weiße der Federn, sooft eine von ihnen auf der Stelle flatterte. An dem geschwungenen Ufer lag ein Schneesaum wie eine erstarrte Brandung. Schon umkreisten die ersten Läufer den See, mit ihren Schenkeln gleichsam die Welt empfangend, verläßlich wie das Wasser selber, das mit der aufgehenden Sonne schnell blau wurde und glitzerte, nun von schattigen Windbahnen durchkreuzt, welche darin vorstießen, stockten und die Richtung wechselten — bis endlich der Morgenglanz sich von den Wellen ablöste und als Tageslicht gleichmäßig den Stadtraum ausfüllte; und Sorger stand in Gedanken unten am See und schaute zu dem Turmzimmer hinauf, wo er gerade stand und die dünne, kräftigende Luft einatmete. Über alle Dächer ging der Rauch wie ein Mann, und aus allen Parkbäumen staubte ein unablässiger Baumschneefall.

»Das ist jetzt!«

Und ereignete sich nicht, mit jedem Blick über die Stadt, eine Wiederkehr (und Bekräftigung) anderer, anderswo erlebter und verlorengeglaubter Begebenheiten? – Auch das Hotelzimmer wurde durchzuckt von den Schatten der Vögel (und Flugzeuge), und im Dachgeschoß des Nachbarturms bewegte sich jemand durch die sonnenfleckigen Räume, im Arm einen Tücherstapel, der dabei hell und dunkel wurde, wie Wasser in einem Bach über buntgescheckte Kieselsteine fließt. Ein Läufer, hinter dem ein Hund herrannte, erhob sich als Möwe in die Lüfte und spiegelte sich im See. »Sinn für die Wiederholung kriegen! Hinunter zu den Leuten.« Aber zuvor kam noch eine Zimmerfrau herein, sagte: »God bless you. Touch home soon.« (Und sah ihn dann geräuschvoll atmend an.)

Sorger ging noch in eine Kirche und nahm, von einem schwarzgekleideten Mann mit weißer Nelke im Knopfloch (»Wo wünschen Sie zu beten?«) eigens zur Bank hinbegleitet, an der Sonntagsmesse teil. (Der Sonntag hatte sich ihm zuerst mit den wenigen Autos gezeigt, die weit weg auf der fast leeren, wassergrauen Madison Avenue schaukelten wie kleine Boote.) Vom Kupferblech an den Opferbeuteln leuchteten die Antlitze der Gläubigen, und der mitspendende Sorger erlebte sich in der Gemeinschaft des Geldes, indes die Hände der

Einsammelnden an den Stangen Geräusche von Bäckern machten, die Brot aus dem Ofen fischten. Ein Schwanken ging durch die Welt, als das Brot in den göttlichen Leib und, »simili modo«, der Wein in das göttliche Blut verwandelt wurde. »In ähnlicher Weise« ging das Volk zur Kommunion. In ähnlicher Weise stolperte »ich, Sorger« wieder als Ministrant über den Teppichrand. Entschlossen kniete der Erwachsene nieder. In ähnlicher Weise wurde er von Unbekannten gegrüßt; ging auf der vormittagshellen Straße an einer fröhlichen Begräbnisgesellschaft vorbei; besichtigte an der benachbarten Avenue eine ziemlich militärisch kostümierte Parade einer südslawischen Volksgruppe, zu der sich seine Vorfahren noch dazugerechnet hatten (und wo auch die kleinsten, kaum schon gehfähigen Kinder trachtengeschmückt mitstolperten), und schaute im Park den ohne Unterlaß an ihm vorbeiziehenden Läufern zu (immer wieder heftiges Keuchen und Trappeln hinter ihm), welche dabei, anders als die Scharen der bloß so Dahingehenden, doch nie die Züge von Bekannten annahmen: er stellte in dem Pulk sogar das erschöpfte Gesicht eines Mannes fest, mit dem er sich einst während des Studiums in Europa angefreundet hatte, und schaute dann nur kurz dem dunkelgeschwitzten Rücken eines Fremdgewordenen nach; und auch der andere, im Vorbeilaufen ihn mit starrhellen Augen anschau-

end, sagte nur: »*Wie* der Valentin Sorger!« – Nie
würden sie sich wiedersehen.

Das letzte Bild von dem anderen Kontinent erlebte
Sorger in einem Museum. Noch von den Werken
bestärkt, vor denen er sich, als vor strengen (und
auch frech knisternden) Beispielen, allmählich
aufgerichtet hatte, stand er oben auf der monumentalen steinernen Innentreppe und erfaßte,
gleichsam in einem einzigen machtvollen Herz-
sprung, die von den unten Kopf an Kopf drän-
genden Leuten schwärzliche Halle, und mit den
Leuten drinnen zugleich, durch die haushohen
Glastore, die gesamte Tiefe der auf das Gebäude
(das am Parksaum lag) zuführenden felsengrauen
82. Straße, und ganz am Ende der von mehreren
dichtbefahrenen Avenuen geschnittenen Straße einen graublauen Schimmer von dem die Insel Man-
hattan begrenzenden schmalen Meeresarm, der
East River heißt, und über dem Wasserstreifen einen stetig hin und her flatternden weißlichen Vo-
gelschwarm, der jeweils im Moment des Umkeh-
rens durchsichtig wurde.

Es fing neu zu schneien an; Kinder drehten sich
draußen unter den Flocken und streckten in dem
Schnee die Zungen heraus; die Brezelstände
rauchten; und dann kam schon wieder die Dämmerung. – In solch zivilbevölkertem, heiter be-
wegtem Bereich, wo es von den Marmorstufen des
Innenraum-Vordergrunds bis zu dem Meeresarm

hinten am Horizont keine Entfernung mehr war, rollten und kurvten die Autos, standen und gingen die Passanten und wetzten und spurteten die Läufer dichtauf in alle Richtungen, als eine nach und nach sich in den Abend bewegende liebreiche Ordnung, der Sorger, ergriffen von der Einsicht, allein mit seinem durch die eigene Vorgeschichte so vertieften, zur gemessenen Raumdurchdringung fähigen und jetzt und hier ihm glückenden Blick an der Friedensschönheit dieser Gegenwart und dem dunklen Paradies dieses Abends mitzuwirken, sich sehnsüchtig anschließen wollte.

»O langsame Welt!«

Aber warum wurde gerade seine aus dem innersten Selbst bis hin zur äußersten Welt sich aufschwingende Sehnsuchtskraft, indem sie ihn Einzelnen und das Weltganze ein für alle Male zusammenhalten wollte, sofort gefolgt von einem bleichen, lautlosen Blitzstrahl, in welchem das so stark Ersehnte leicht, fast sanft wiederum von ihm wegrückte und dabei vor sich die Leere eines erdumspannenden Todesstreifens zeitigte, der ihn schwächte und jäh in sich selbst zurücktaumeln ließ? Von jedem Eigennutz doch zu nichts als Geistesgegenwärtigkeit geläutert und nur noch heiß vor Weltergänzungslust (»Ich will dich haben und ich will dein Teil sein!«), wurde er da erst getroffen von der Erkenntnis eines unheilbaren Mangels, der weder in ihm persönlich gründete noch

auf diese historische Epoche des in jedem Fall geliebten irdischen Planeten verwiesen werden
konnte. Er wünschte sich ja in keine andere Zeit
mehr – aber was er in der Jetztzeit, auch mit der
reinsten, inständigsten Leidenschaftlichkeit, von
der Welt erreichte und einzirkelte, war immer
noch *viel zu wenig.*

Hatte er sich nicht einmal reich gefühlt? Er setzte
sich auf die Treppenstufen, die an den Rändern
voller sich ausruhender Leute waren, und
knüpfte, sehr langsam, die Schuhbänder auf und
zu. Schon klatschten die Wärter in die Hände, und
mit kleinen Schritten bewegte vor ihnen das Volk
sich zum Ausgang hin. Kurz hattest du, Sorger, da
die Vorstellung, daß die Geschichte der Mensch-
heit bald vollendet sein würde, harmonisch und
ohne Schrecken. Ja, es gab die Gnade. (Oder?) Das
phantasielose, blutsaugerische Elend ließ von dir
ab, und du spürtest deine Lider wie gesalbt von
dem ewigen wilden Bedürfnis nach Erlösung. Ein
tiefes Seufzen ging nicht allein durch dich, sondern durch die ganze Menge, und du schautest mit
neuer Kraft auf und suchtest den Blick anderer
Augen, die so schwer wären wie die deinen. Du
spürtest Kummer und schließlich bitterlichen
Schmerz bei dem Gedanken, daß du diesen Frie-
densschauplatz gleich verlassen müßtest, und
wolltest wenigstens unter den letzten sein, die hin-
ausgingen; das Schöne an dem Schmerz jedoch

war, daß sich dabei die Erde verklärte (so wie einst in der Vorzeit durch Hitze und Druck Kalkstein sich in den Marmor verwandelt hatte, welcher nun zu deinen Füßen aufglänzte).

Im nächtlichen Flugzeug nach Europa war es, als seist du, mein lieber Sorger, auf deiner »ersten wirklichen Reise«, wo man, so wurde gesagt, lerne, »was der eigene Stil ist«. Hinter und vor dir schrien jämmerlich die Säuglinge, die dann, als sie sich endlich beruhigt hatten, mit dunklen Augen starrten wie Propheten. Du wußtest nicht mehr, wer du warst. Wo war dein Traum von der Größe? Du warst Niemand. Im ersten Morgengrauen sahst du den angekohlten Tragflügel. Eure übernächtigten Gesichter waren wie verschmiert von Marmelade. Die Stewardessen zogen schon die Stadtschuhe an. Die leere Filmleinwand, eben noch vom Sonnenaufgang schimmernd, verdunkelte sich. Dröhnend brach das Flugzeug durch die Wolken.
»Entschwebendes Gesicht!
Die Steine zu meinen Füßen bringen dich näher:
Mich in sie vertiefend,
beschwere ich uns mit ihnen.«

Zeittafel

1942 in Griffen/Kärnten geboren.
1944–1948 lebt er in Berlin. Dann Volksschule in Griffen.
1954–1959 als Internatsschüler Besuch des humanistischen Gymnasiums. Die letzten drei Jahre in Klagenfurt.
1961–1965 Studium der Rechtswissenschaften in Graz.
1963–1964 *Die Hornissen* (Graz, Krk/Jugoslawien, Kärnten).
1964–1965 *Sprechstücke* (Graz). Umzug nach Düsseldorf.
1963–1966 *Begrüßung des Aufsichtsrats* (Graz, Düsseldorf).
1965–1966 *Der Hausierer* (Graz, Düsseldorf).
1967 *Kaspar* (Düsseldorf).
1968 *Das Mündel will Vormund sein* (Düsseldorf).
1965–1968 *Die Innenwelt der Außenwelt der Innenwelt* (Graz, Düsseldorf). Umzug nach Berlin.
1969 *Die Angst des Tormanns beim Elfmeter* (Berlin).
    Quodlibet (Berlin, Basel).
    Umzug nach Paris.
1968–1970 *Hörspiele* (Düsseldorf, Berlin, Paris).
1970 *Chronik der laufenden Ereignisse* (Paris).
    Der Ritt über den Bodensee (Paris).
1971 *Der kurze Brief zum langen Abschied* (Köln).
    Umzug nach Kronberg.
1972 *Wunschloses Unglück* (Kronberg).
1973 *Die Unvernünftigen sterben aus* (Kronberg).
    Umzug nach Paris.
    Falsche Bewegung (Venedig).
1972–1974 *Als das Wünschen noch geholfen hat* (Kronberg, Paris).
1974 *Die Stunde der wahren Empfindung* (Paris).
1976 *Die linkshändige Frau*. Erzählung (Paris).
1975–1977 *Das Gewicht der Welt*. Journal (Paris).
1978–1979 *Langsame Heimkehr*. Erzählung.
1979 Umzug nach Österreich.
    Der Kafka-Preis wird erstmals verliehen an Peter Handke.
1980 *Die Lehre der Sainte-Victoire* (Salzburg).
    Das Ende des Flanierens.
1981 *Kindergeschichte* (Salzburg).
    Über die Dörfer. Dramatisches Gedicht (Salzburg).
1982 *Die Geschichte des Bleistifts*.
1983 *Der Chinese des Schmerzes* (Salzburg).
    Phantasien der Wiederholung.

suhrkamp taschenbuch materialien

Peter Handke
Herausgegeben von Raimund Fellinger
st 2004

Im deutschen Sprachraum wie international hat das literarische
Werk Peter Handkes ein großes Echo hervorgerufen. Im Zentrum des neuen Materialienbandes stehen detaillierte und umfassende Analysen der einzelnen Werke. Ein zweiter Teil gilt
einmal der Untersuchung übergreifender Zusammenhänge: der
Zusammenhänge zwischen Werken aus einer bestimmten Periode,
zwischen Texten verschiedener Genres. Zum anderen werden
hier aber auch die Unterschiede in den Schreibhaltungen heraus-
gearbeitet. Der dritte Teil gibt ein Bild der bisherigen Rezep-
tionsgeschichte und ihrer Phasen. Den Band beschließt eine kom-
plette Bibliographie der Primär- und Sekundärliteratur.